kamp

broeder en zuster Bots

kerkje   huis in de stad

schuilhol   Adderwal

huis van grootmoeder

Project Vergeten Oorlog

Dit boek maakt deel uit van het project *Vergeten Oorlog*. In het kader van dit project zullen zes jeugdboeken verschijnen. De boeken gaan allemaal over onderwerpen waaraan tot nu toe weinig of geen aandacht is besteed in jeugdboeken: Het bombardement van Rotterdam en Middelburg; Sinti en Roma; dwangarbeid; kinderen van 'foute' ouders; en de Tweede Wereldoorlog in Suriname. De verhalen uit de bundel *Vergeten oorlog* spelen zich af in landen waar nieuwe Nederlanders vandaan komen: voormalig Joegoslavië, de Sovjet-Unie, Marokko, Nederlands-Indië, Ethiopië, Suriname, China, Polen, de Nederlandse Antillen en Irak.

www.vergetenoorlog.nl
www.leopold.nl

Als symbool voor het project Vergeten Oorlog dient de koffer, het voorwerp waarmee miljoenen tijdens de oorlog onderweg waren, naar de kampen en op de vlucht.

Lydia Rood

Opgejaagd

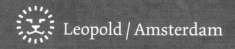
Leopold / Amsterdam

De Nederlandse
Kinderjury
2010

Copyright © Lydia Rood 2009
Omslagontwerp Annemieke Groenhuijzen
Foto's omslag: Verzetsmuseum Friesland; Corbis; Getty Images
Kaartje: Roosmarijn Bakker
Uitgeverij Leopold bv, Amsterdam
NUR 283 / ISBN 978 90 258 5511 6

Dit boek is mede tot stand gekomen dankzij een subsidie van het Ministe-
rie van VWS, Eenheid Oorlogsgetroffenen en Herinnering WO II.
Vergeten Oorlog is een project van de Schrijvers van de ronde Tafel in sa-
menwerking met Stichting Cubiss en Uitgeverij Leopold.
De Schrijvers van de Ronde Tafel worden ondersteund door de Stichting
Jaap ter Haar.

Mixed Sources
Productgroep uit goed beheerde
bossen, gecontroleerde bronnen
en gerecycled materiaal.
www.fsc.org Cert no. CU-COC-803223
FSC © 1996 Forest Stewardship Council

Uitgeverij Leopold drukt haar boeken op papier met het FSC-keurmerk. Zo
helpen we waardevolle oerbossen te behouden.

Inhoud

Alle mensen die me hebben geholpen dit onvertelbare verhaal te vertellen, dank ik. Ik draag het op aan iedereen die de moed heeft om op te staan en 'Stop!' te schreeuwen als hij onrecht ziet gebeuren.

Vroeger

mei 1940

Achter het bos klonk een dreun.

'Ze schieten!' riep Manito opgetogen. 'Kom op!' Hij rende het bos in, meteen gevolgd door Elmo. Maira keek haar broers na. Tien en elf waren ze, en dol op schietspelletjes. 'Ik ga mee!' riep ze en ze wilde hen achterna rennen. Een sterke arm hield haar tegen.

'Niks ervan, engeltje. Je moeder heeft je bij de wagen nodig,' zei haar vader. Zijn stem klonk vriendelijk, maar Maira wist dat het geen zin had zich te verzetten. Toch probeerde ze het even: 'Maar er wordt geschoten!'

Dat was natuurlijk niet echt zo. Die dreun, dat was gewoon een... een... nou ja, iets. Geen geweer. Dat klonk niet zo. En de boswachter van dit gebied was vast nog niet op. Ze waren vroeger dan anders op pad gegaan.

Haar moeder kwam uit de wagen met een mand. Terwijl Raklo, het paardje, rustig voort bleef stappen, klom ze van de trap naar beneden. Ze ging naast haar man lopen.

'Wat kan dat zijn, Django?'

Maira's vader schudde zijn hoofd. In zijn zak rinkelde bij elke stap het kleingeld dat hij gisteren van de boer had teruggekregen. Hij had goed verdiend, en dat kwam goed uit, want het werd Pinksteren. Vier kippen hadden ze gekocht; Maira verheugde zich nu al op het avondeten. Vanavond zou ze haar nichtjes weer zien, ze zouden om een feestvuur zitten en...

'Zouden we niet liever omkeren? Zo gaan we er recht op af!' zei moeder Bloema.

'Waarop af? Een beetje donder in de verte?'

Maira keek naar de lucht. Nog maar lichtblauw, maar strak en zonder wolken. Zonlicht speelde tussen de zachtgroene blaadjes, streelde de akkers. Donder?

Haar moeder twijfelde ook. Ze sloeg wrevelig haar blik neer. Toen keek ze weer op en zei tegen Maira: 'Wat loop jij hier te niksen? Ga liever zuring zoeken, en brandnetels voor in de soep vanavond.' Ze gaf haar de mand.

'Mag ik u niet helpen met bloemen maken?' Want haar moeder en zij hadden de afgelopen dagen de hele voorraad kunstbloemen uitgevent.

'Maira! Wat heb ik gezegd!'

'Hou je gemak, hartje. Dat kind kan het tenslotte niet helpen.'

Wát kon Maira niet helpen? Ze keek onder het lopen van de een naar de ander. Ze hadden toch geen ruzie?

In de haag naast de weg riep een vogeltje. Geel-blauw was het en het hing op zijn kop. Tsie-tsie-tsie-tirrr! Het was zo'n prachtige ochtend. Waarom deden haar ouders dan zo raar? Kwam het door die vliegtuigen? Maira was vroeg wakker geschrokken van een dreigend gebrom. Ze was uit bed gesprongen en door de wagen gelopen. Haar vader stond voorin op de plank, met zijn hoofd in zijn nek. Tegen de bleekblauwe lucht was een zwerm zwarte vogels afgetekend: vliegtuigen. Heel veel waren het er. Ze kwamen uit het oosten.

'Vliegtuigen, Tatta...' had ze gezegd. Ze bedoelde: is dat erg?

'Maak je niet ongerust, engeltje.'

Maar haar vader had gefronst en gehumd, en zijn hoed laten draaien op zijn wijsvinger. Gelukkig waren de vliegtuigen vanzelf weer verdwenen en niet meer teruggekomen. Die hadden toch ook niets met hen te maken. Geen reden om zo aangebrand te doen.

6

Van achter de wagen klonk het getokkel van de gitaar van haar broer. Verkeerd moment; haar vaders gezicht betrok nu ook en hij bulderde: 'Falko! Hier komen!'

Moeder Bloema klom de trap op, liet haar slippers achter op de plank en verdween in de wagen. Falko, die al dertien was, kwam haastig aanlopen. In het voorbijgaan legde hij zijn gitaar in de bak onder de wagen. Vader Django drukte zijn oudste zoon het leidsel in handen. Hij liep langs de voorste woonwagen naar hun oom toe. Raklo stapte kalmpjes door.

Maira ging naast haar broer lopen en zei: 'Jij hebt lekker die vliegtuigen niet gezien vanmorgen.'

Falko haalde zijn schouders op en praatte zachtjes tegen het paard.

'Het waren er wel honderd! En ze kwamen... uit Duitsland!' Terwijl ze het zei, besefte Maira dat ze gelijk had. De Duitse grens was hier niet zo ver vandaan. Tenminste, niet ver voor mensen van de weg zoals zij. En natuurlijk was het voor vliegtuigen een kippeneindje.

'Ssst!' zei Falko. Waar sloeg dat nou weer op?

'Je kletst maar wat!' zei Maira boos. Daar moest Falko om lachen. Hij hád natuurlijk ook niks gezegd; het kwam door zijn gezicht – dat kon ook praten. En zijn gezicht had gezegd: hou je mond, dit zijn grote-mensendingen.

En dat terwijl Falko eigenlijk het aardigst was. Hij kon ontzettend mooi gitaar spelen en als Maira danste op zijn muziek, met zwierende krullen, dan lachte hij en legde hij zijn gitaar neer om te klappen. Talent had ze, zei hij – nou, hij had zelf ook talent.

'Jij moet brandnetels zoeken,' zei Falko. Hij had zeker een of ander wijsje in zijn hoofd. Of hij liep te denken aan zijn liefje.

Maira schoot het bos in, en rende een stukje, maar ze bleef naast de weg, waar ze de wagens kon zien en de hoeven van de paarden op de grindweg hoorde.

'Onzin!' hoorde ze oom Tsjavolo roepen, en dat bracht haar op een idee. Ze sloop zo dicht naar de voorste wagen als ze durfde. Die brandnetels kwamen straks wel. Eerst weten wat die volwassenen te bespreken hadden. Ze kreeg een vleug sigarettenrook in haar neus en kon nog net een nies inhouden.

'In '14-'18 hebben we toch ook geen last gehad!' zei oom Tsjavolo. Hij klonk opgewonden, maar zo klonk hij vaak. 'Oorlogen gaan om grondgebied. Wat malen wij daarom? Wij hebben de hele wereld. Ze doen maar.'

'Ik heb het er niet op, anders,' antwoordde vader Django.

'Vergeet het! Het zijn *gaadzje*-zaken*,' riep oom Tsjavolo. Hij wond zich wel érg op, vond Maira. Ze zou vlierthee voor hem maken, tegen de hoge bloeddruk.

'Maar ik hoor niet veel goeds uit het oosten. We moeten voorbereid zijn.'

'Wat zou dat helpen?' vroeg oom Tsjavolo.

Maira kreeg opeens haar grote neven in het oog, die onopvallend langs de wagen meeslopen en óók het gesprek afluisterden. Ze grinnikte.

'Jij!' viel vader Django ineens uit. 'Jij denkt maar dat alles vanzelf goed komt! Jij maakt je nooit ergens zorgen over. En maar op onze zak teren wanneer het je uitkomt!'

Oei. Zo kwaad werd haar vader anders niet. Andere mannen wel, als het laat werd en er was te veel gedronken. Maar vader Django beheerste zich zelfs dan.

Tante Toetela had het gehoord. Ze schoot tevoorschijn en schreeuwde: 'Laat ons met rust, Django Rosenberg! Alsof jij alles weet! En trouwens, toen jij net met mijn zus getrouwd was, hebben wij jou ook moeten helpen. Ben je dat vergeten?'

'Mens, hou toch op!' Haar vader was nu echt nijdig. 'Geld?

---

* gaadzje (ook wel geschreven als gadje) betekent letterlijk 'boeren'. Sinti en Roma gebruiken het woord voor alle niet-reizende burgers. De spelling ligt niet vast, omdat Sinti hun taal niet schrijven.

Daar gáát het toch helemaal niet om! Het gaat om de berichten die we horen! Wat ze vertellen over dáár!' Hij wees vinnig een paar keer naar het oosten. En daarbij keek hij precies Maira's kant op. Ze maakte dat ze wegkwam, snel dieper het bos in. Gelukkig, haar vader riep haar niet.

Lekker rook het hier, vochtig, en naar allerlei kruiden die bezig waren hun kop op te steken. Naar uien... Maira keek rond. Ja, daar, een veldje daslook, daar moest ze ook maar wat van meenemen voor de sla. De witte bloemen leken wel de sluier van een processiebruidje... Dat was mooi, als je mee mocht lopen in een processie. Maira had vaak genoeg verlangend gekeken naar de mooi aangeklede gaadzje-meisjes die achter het beeld van de Heilige Maagd aan liepen. Maira grinnikte bij het idee dat de meisjes naar uien zouden ruiken, net als deze bloemetjes.

Haar vader liep weer naast het paard toen Maira terugkwam. Ze ging schichtig langs hem heen, hees zich op de plank – haar zusjes zaten in de weg op de trap – en schopte haar sandalen uit. In de wagen legde ze de groenten op het kleine buffet. Haar moeder had al een heel stel stukken ijzerdraad afgeknipt en zat die nu te omwikkelen met groen papier om er stelen van te maken. Haar tangen en de mooie zilveren schaar lagen netjes op een rij op de kleine tafel.

'Mama... Wat is er in het oosten?'

'Niks bijzonders,' zei moeder Bloema. 'Duitsers.'

'Wordt het oorlog?'

'Nee, je vader gaat ze tegenhouden,' zei haar moeder. Maira keek haar verbouwereerd aan. Moeder Bloema schoot in de lach.

'Ja, echt! Ze schieten in het oosten en je vader gaat er recht op af. En als hij Duitsers ziet, roept hij heel hard boe! en dan gaan ze ervandoor.'

'U maakt een grapje!'

Haar moeders glimlach loste op.

'Maar wat weet ik er ook van? Je vader schijnt te denken dat er geen gevaar is.'

'Tegen oom Tsjavolo praat hij anders.'

Haar moeder keek op.

'O ja? Maar Tsjavolo is ook zo'n flierefluiter. Onzelieveheer zélf heeft er zijn handen vol aan om hem uit de problemen te houden... Goed dat we vanavond je oom Wasso ontmoeten. Hij houdt zijn hoofd wel koel.'

Maira knikte. Ze hield van de broer van haar vader, en van haar tante, en van haar grootmoeder die met hen meereisde. Maar het fijnste was dat ze vanavond haar nichtjes weer zou zien. Vooral Foeksa, die ook haar beste vriendin was.

'Mag ik u helpen?'

Zulke mooie kunstbloemen als die van Bloema Meinhardt kon je nergens anders kopen. Soms maakten Maira en Foeksa stiekem het deurtje van het buffet open waarachter de glimmende stoffen lagen. Lippenstiftrood en dieproze en hemelsblauw en boterbloemgeel... Maira zou graag een jurk hebben gehad van die blauwe zijde, en Foeksa vond de roze het mooist. Maar voor kleren kocht haar moeder zulke dure stof niet. Zou anders prachtig staan, een jurk van zulk stralend blauw en gloeiend geel! En dan dansen!

'Maira!' riep haar vader van buiten. 'Kom jij daar eens gauw uit! Moet dat paard zich doodlopen?'

Haar moeder liet haar handpalmen zien. Maira stapte de plank op. Tja, die arme Raklo had het al zwaar genoeg, want het werd warm en het pad was zanderig en mul geworden. Toch schoof ze met tegenzin weer in haar sandalen.

De plek waar ze oom Wasso zouden treffen was dichtbij een stad. Daar was genoeg werk voor iemand die violen en gitaren repareerde, zoals haar vader. Na Pinksteren zouden Django Rosenberg en zijn familie nog een tijdje blijven om geld te verdienen. Oom Wasso Rosenberg was met zijn band besteld voor een zilveren huwelijk. En als de bruiloftsgasten hun dansmuziek hoorden, zouden ze de Rosenbergs vast ook uitnodigen voor hun eigen partijen. Dat ging altijd zo. Dan zouden ze nog even blijven en had Maira intussen alle tijd om bij te praten met haar nichtjes. Foeksa was even oud als zij, en Moezla een jaar ouder. Ze kenden elkaar al hun hele leven. Natuurlijk moesten ze ook helpen – Maira zou met haar moeder langs de deuren moeten om kunstbloemen te verkopen, en Foeksa en haar zus ventten kammen en borstels – maar als ze een tijdje op één plaats bleven, was er toch meer tijd voor plezier.

Toen Maira terugkwam bij de wagens, hield haar vader juist halt om het paard rust te geven. Elmo spande Raklo niet uit, maar liet hem grazen in de berm. Ook oom Tsjavolo liet zijn paard ingespannen voor de wagen staan. Uitgebreid eten zouden ze die avond pas doen, als ze allemaal samen waren. Moeder Bloema kwam naar buiten met een bord met besmeerde sneden brood. Melk had ze ook, die ochtend vers bij de boerin gekocht. Er dreven klontjes boter op – de wagen had zeker erg geschud – en Maira trok een vies gezicht, maar ze dronk toch snel een hele beker leeg. Melk hielp nog beter tegen de honger dan brood. Tante Toetela had nog kaas, en kleine gespikkelde eitjes.

'Vers,' zei ze. 'Ik heb ze vanochtend lopen zoeken in de weilanden.'

Moeder Bloema knikte en pakte de eitjes aan. Ze bedankte niet; ze was gewend dat tante Toetela voor haar zorgde. Dat kwam doordat Toetela de grote zus was en Bloema het kleine zusje. Maira vond het altijd grappig om dat te merken.

Haar zusje Krasa kwam uit de wagen gesprongen, ze had zeker honger.

'Kom maar, vogeltje,' zei Maira. Haar kleine zusje was zo snel als een ijsvogeltje.

Krasa's rok slierde over de bekers die nog op de trap stonden. Oei! Zonder een woord gooide moeder Bloema de bekers leeg in de berm. Een strenge blik vertelde Krasa wat ze weten moest. Eten en drinken moesten rein blijven, daar stapte je niet overheen. Zelfs een slip van je rok was al te veel.

'Krijg ik nou geen...' begon Krasa.

'Nee,' zei Kersja, 'en ik ook niet. Omdat jij niet uitkijkt.'

Terwijl ze zaten te eten, de jongens op stenen en stukken hout in de berm, de meisjes op de trap, kwam er een boer voorbij op zijn fiets. Hij trapte alsof hij haast had.

'Jullie hebben het nieuws wel gehoord zeker?' riep hij. Maar hij was al voorbij voordat Django Rosenberg kon vragen wát dan. Hij keek de boer fronsend na.

'Kijk niet zo zorgelijk, man,' zei oom Tsjavolo. 'Er zal wel ergens een kalf met twee koppen geboren zijn. Zorgen zijn goed voor boeren en stadsmensen!'

Maira gaf in gedachten haar oom gelijk. Wat hadden zorgen voor zin? Zij hadden zakken vol geld en een feest voor de boeg!

De middag werd warm en duurde lang. De wagen van Django Rosenberg ging nu voorop. Ze staken een zandverstuiving over en Maira werd moe; haar sandalen liepen vol zand en dus moest ze bij elke stap een bergje zand mee optillen. Zij en de jongens moesten mee helpen duwen, omdat Raklo de wagen niet alleen vooruit kreeg.

Toen ze op een soort pad kwamen, kon Raklo het weer alleen. Maira trok haar sandalen uit en gooide ze voor op de plank. Op blote voeten ging het beter; het pad bestond uit mul zand. Misschien was het wel helemaal geen pad.

'We hadden ook de weg kunnen volgen,' zei ze. Meer durfde ze niet te zeggen; haar vader zou boos worden als ze zijn beslissing in twijfel trok.

'Dit ís de weg,' zei Vader Django vrolijk. 'De route zoals ik die van mijn vader leerde, en die weer van zijn vader en die van zijn grootvader... Op de doorgaande wegen worden we aan de kant gedrongen door auto's. Maar dit is toevallig wél de kortste weg. Een heel oude weg, voor mensen die de tijd hebben om te trekken, zoals wij.'

'Ik zie geen weg,' mompelde Maira. Maar haar vader had het toch gehoord.

'Je kijkt ook niet,' zei hij.

'Kan ze niet,' zei Elmo. 'Leert u mij de route maar, Tatta.'

Hun vader lachte. 'Goed, jongen. Let jij maar goed op – Falko heeft er geen oog voor.' Hij wees op een stapeltje stenen bij de ingang van een bospad. 'Kijk, daar moeten we in. Ik wil wedden dat Wasso hier vóór ons is langsgekomen. Falko! Help eens duwen!'

Van achter de wagen klonk het getokkel van Falko's gitaar. Die was weer bezig een wijsje te verzinnen. Soms raakte hij wel een kilometer achter, zó kon hij opgaan in zijn melodietjes. Maar Maira snapte het wel. Falko moest oefenen voor zijn meisje. Hij dacht dat niemand het wist – en niemand mócht het ook weten – maar Maira had het toch begrepen. Als Patsja erbij was speelde Falko extra gevoelvol – met neergeslagen ogen, maar soms keek hij dan ineens op. En dan kregen de ogen van Patsja net zo'n gloed als die van hem. Heel mooi was Patsja, met prachtig dik haar dat tot haar middel kwam. Over een paar jaar zouden Falko en Patsja samen weglopen, en terugkomen als man en vrouw. Dan zouden ze bruiloft vieren! Maira droomde weg.

Toen hoorde ze Elmo tegen vader Django zeggen, op een

mannentoon: 'Maira is toch maar een meisje!' En die rotjongen was zelf nog maar elf!

Opeens wilde Maira toen wél op de weg letten. Als ze nou eens geen man kreeg later, dan moest ze toch weten waar ze heen moest? Misschien werd ze wel een wijze vrouw, een *poeri daai*, net als haar grootmoeder. Dan moest ze toch zeker de weg weten!

Dus keek ze scherp naar de herkenningstekens: een kromgegroeide boom, een meidoornhaag, de akkers die wel een lappendeken leken. En daar, die heuvel waar het pad zo raar tegenop kronkelde. Een driehoekig weitje met jonge koeien – nou ja, die koeien zouden er natuurlijk niet altijd staan. En om de bocht die boerderij met het strooien dak. Maira nam zich voor voortaan heel goed op te letten. Zij was toch ook een kind van de weg?

'Maira! Kijk!' Krasa draafde naast haar met een uitgestoken vingertje. Er zat een hommel op. 'Hij is zo zacht! Wil jij hem ook aaien?'

Maira bleef staan en aaide gehoorzaam de hommel, die natuurlijk meteen opvloog.

'Doorlopen, engeltje,' zei vader Django toen. 'We hebben haast. Ik wil weten wat Wasso ervan denkt.'

Waarvan?

Tante Toetela zette een lied in. Ze zong graag, maar ze deed het anders nooit onderweg.

'Stil toch!' riep vader Django achterom. 'Schiet liever een beetje op!'

De grote mensen deden gek vandaag.

Zonder waarschuwing zette vader Django Raklo aan tot een sukkeldrafje. Maira draafde naast het paard mee. Een paar akkers, een reepje bos, weer een bocht, het spoor... en dan een wijde vlakte, drassige weilanden, stroken eikenhakhout. In de verte twee kerktorens, één hoge, breed van onderen, smal van boven. En het zonlicht glinsterde in...

'De rivier!' riep Maira. 'We zijn er bijna!'

Haar vader knikte. 'Goddank.' Hij was niet zo trots op haar als ze had verwacht. Hij liet het paard los en ging met zijn hoed naar achteren over de uiterwaarden staan uitkijken. 'Ik vertrouw het maar half,' mompelde hij.

Terwijl ze met de twee wagens over het smalle weggetje in de richting van de brug trokken, holden Elmo en Manito met de neven vooruit. Om oom Wasso te zoeken, zeiden ze. Na een kwartiertje kwamen ze alweer terughollen, Manito buiten adem voorop.

'De brug!'

Maira en haar zusjes rekten hun nek. Moeder Bloema slaakte een kreet en toen zag Maira het ook. De brug naar de stad hing half in het water, als een door zijn knieën gezakt veulen.

'Allemachtig!' Oom Tsjavolo schoof zijn hoed achter op zijn hoofd. 'De brug ingezakt! Hoe is dat gebeurd?!'

Even leek niemand te weten wat hij moest doen. Toen zei vader Django: 'Vooruit. We kunnen Wasso niet in de steek laten.'

Hoe dichter ze erbij kwamen, hoe minder Maira ervan begreep. Hoe kon zo'n sterke brug nou zomaar inzakken?

Een wagen kwam hun tegemoet. Het paard draafde. Ze herkenden het vóór ze het fluitje van hun familie hoorden. Dat klonk als de roep van een vogeltje, en ook als *Waar ben je, waar ben je?* Daar kwam oom Wasso Rosenberg – maar waarom reed hij de verkeerde kant op? Verbaasd keek Maira naar haar vader. Maar Django zelf keek al even verbouwereerd. Hij stopte; nam zijn hoed af, draaide hem rond in zijn handen en zette hem weer op. Maira zag oom Wasso gebaren: omdraaien, weg! Django Rosenberg begon te keren, maar hij deed het onhandig. Raklo liep te ver achteruit; hun wagen raakte bijna die van oom Tsjavolo.

'Wat doe je nou, man!' riep oom Tsjavolo. 'Waarom rijd je niet door?' Nu sprong Raklo weer naar voren. De achterwielen raakten in de greppel langs het weggetje. Het paard van oom Tsjavolo schrok en maakte de chaos nog erger.

Dat had Maira nog nooit meegemaakt! Het maakte haar meer ongerust dan het vreemde gedrag van oom Wasso. Nu hij dichterbij kwam, hoorde ze hem schreeuwen tegen zijn paard. Zijn zoons holden naast de wagen en tante Lalla hobbelde er haastig achteraan. Wat was er aan de hand? Hadden de stadsmensen hem soms beschuldigd van diefstal?

Eindelijk hadden de broers elkaar bereikt. Oom Wasso sprong van zijn wagen af. Hij wees naar de brug.

'Opgeblazen!' zei oom Wasso buiten adem. Vader Django en oom Tsjavolo vergaten hem te begroeten. De paarden, die elkaar goed kenden, bliezen hun adem in elkaars neus.

'Overal zijn soldaten! Er is de hele dag geschoten!' Oom Wasso begon aan de wagen van zijn broer te sjorren om hem weer op de weg te krijgen.

De kinderen, groot en klein, begroetten elkaar met schichtige knikjes en glimlachjes. Tante Lalla viel moeder Bloema om de hals. Hijgde ze, of was dat snikken? Maira en Foeksa knepen elkaars handen fijn. Maira durfde niets te zeggen. Ze hoorde een vreemd geluid over het water galmen. Ratelen, of knetteren.

'Machinegeweren!' zei Elmo. Zijn ogen glommen in de avondzon.

Werd er dan toch echt geschoten?

Toen kwam grootmoeder Dotsji tevoorschijn uit de wagen van oom Wasso. Ze begroette haar tweede zoon en de familie van haar schoondochter zonder een woord. Krasa en Kersja kropen meteen tegen haar aan.

'Mami! Ik heb je gemist!' Kersja leunde tegen haar grootmoeders rok en stak haar duim in haar mond.

Maira bleef op een afstand en glimlachte verlegen; haar grootmoeder keek zo streng.

'Wat is er toch aan de hand?' vroeg moeder Bloema.

Dotsji Rosenberg schudde geërgerd haar hoofd.

'Hebben jullie het dan niet gehoord? De stad is in handen van de Duitsers. Het is oorlog.'

De grote neven begonnen op slag zó hard tegen elkaar te tetteren, dat niemand een ander meer verstond. Kersja moest ervan huilen. Falko sloeg ontzet zijn hand voor zijn mond. Elmo en Manito keken elkaar opgewonden aan.

'Ze zijn al aan deze kant van de rivier,' zei oom Wasso. 'Rubberboten. De Nederlanders hebben zich overgegeven.'

'Lafbekken!' zei Manito. Hij kreeg meteen een draai om zijn oren van zijn vader.

Nu begon Krasa ook te krijsen.

'Stel je niet aan,' snauwde Bloema Meinhardt tegen haar schoonzus. 'Dat heeft toch allemaal niks met ons te maken!' Met vlammende ogen keek ze oom Wasso aan, hem uitdagend om haar tegen te spreken.

'Dat zeg ik ook,' zei oom Tsjavolo.

Maar oom Wasso zei: 'Begrijpen jullie het niet? Het is óórlog!'

Tante Lalla snikte zenuwachtig.

'Huilen helpt niet,' zei grootmoeder Dotsji. 'Kersja, hou eens op – een grote meid als jij! En Lalla, mijn hemel, straks beginnen je dochters ook nog!' Ze keek haar familie rond met pikzwarte blik. Grootmoeder Dotsji kon prachtig vertellen, maar Maira was toch altijd een beetje bang voor haar. Ze trok een grimas naar Foeksa. Haar lievelingsnichtje lachte niet.

'Terug dan maar,' zei vader Django tegen zijn oudste broer. 'Naar het oosten, naar de bossen. Daar komen ze niet met hun oorlog.'

'We rijden door tot het donker wordt,' knikte oom Wasso.

'Ik heb honger anders,' bromde oom Tsjavolo. 'Jullie overdrijven altijd zo.'

Over de rivier klonken schoten. Luid en heel dichtbij. Dat legde zelfs oom Tsjavolo het zwijgen op.

Op de terugweg naar de bossen liep Maira tussen haar nichtjes in.

'Oorlogen gaan om grondgebied,' zei ze. 'Dat heeft niets met ons te maken. Mensen van de weg hebben de hele wereld.'

Foeksa en Moezla zeiden niets terug.

Alleen maar voor zolang

mei 1943

Hier was het, dacht Maira. Hier hadden ze drie jaar geleden oom Wasso en tante Lalla ontmoet, hier had grootmoeder Dotsji hun verteld dat het oorlog was, hier waren ze omgedraaid. Weg van de stad, weg van de oorlog. Nou, de oorlog had hen ingehaald! En nu moesten ze juist naar de stad toe.

De rivier was niet veranderd, de uiterwaarden lagen er nog net zo bij, en de stad zag er op het eerste gezicht ook hetzelfde uit. Alleen de brug was hersteld. Ze keek naar de torens, de hoge huizen. Smal moesten de straten daartussen zijn. Om het benauwd van te krijgen! Ze legde haar hand tegen het warme hout van de woonwagen. Een stukje verf bladderde af; het leek scherp als een dun mesje. Haar vader had dit jaar niet aan schilderen gedacht. En hij was altijd zo trots op hun keurige wagen!

De oorlog had veel veranderd. Ze kwamen minder en minder mensen van hun eigen soort tegen. Een tijdlang hadden ze nog samen gereisd met oom Tsjavolo en oom Wasso. Maar grootmoeder Dotsji en oom Wasso hadden onlangs besloten het trekken op te geven. Zij stonden nu ergens op een groot kamp. En oom Tsjavolo Leimbergen was zijn eigen familie gevolgd naar een grote stad aan zee. Daar woonden ze in een rijtje onbewoonbaar verklaarde bouwvallen die volgens Maira's vader elk moment in konden storten. Maar ze voelden zich er toch veiliger dan langs de weg; zo vielen ze minder op. Zou tante Toetela nog zingen?

'En toch voel ik er niks voor,' hoorde Maira haar moeder zeggen. Ze liep opzij van de wagen met vader Django; Maira liep naast Raklo, ongezien.

'Bloema. We hebben het er vaak genoeg over gehad. We mogen nergens meer staan. Op die vaste kampen waar het nog wel mag, is het één grote modderpoel. Tussen vreemden sta je daar. Weet je niet meer, die vechtpartij laatst? En binnenkort wordt trekken helemaal verboden.'

'Nou en? Wie houdt ons tegen?'

'Wees redelijk, vrouw. Op die kampen word je om het minste of geringste opgepakt.'

'Ik wil ook niet naar zo'n kamp,' zei moeder Bloema. 'Hoe moet ik daar mijn geld verdienen? Ik wil gewoon in mijn eigen wagen blijven. Rondreizen.'

'We worden overal van de deur gejaagd tegenwoordig,' zei vader Django. 'Zelfs bij boeren die ons vroeger weken op het land lieten helpen.'

'Tot nu toe redden we het best.'

Maira's moeder was een echte *Sintetza**: ze wist er altijd iets op te verzinnen. Ze had in een la van het buffet nog een rol rood-wit-blauw lint, en daar knipte ze met een kartelschaar nu héél kleine stukjes van. Piepkleine vlaggetjes werden het. Door elk vlaggetje stak moeder Bloema een speld, en dan verkocht ze de lintjes aan gaadzje die een hekel hadden aan de Duitsers. Die speldden ze aan de binnenkant van hun jas, of in hun zak. Om toch nog het gevoel te hebben dat het hún land was.

De rood-wit-blauwe lintjes waren gewild, maar ze leverden niet genoeg op om van te leven. Bedelen wilde vader Django niet hebben, maar moeder Bloema zei geen nee als haar een extraatje werd aangeboden. En als het soms gebeurde dat een kip al scharrelend te dicht bij de wagen kwam, dan kwam Elmo, die nu veertien was, er even later mee aandragen, de kop bungelend naar beneden.

---

* Een Sintetza, ook geschreven als Sintezza, is een vrouwelijk lid van het Sinti-volk.

'Het was een ongeluk!' zei hij dan. 'Dat stomme beest liep zelf onder de wielen!' En dan stelde moeder Bloema niet al te veel vragen, maar dompelde de vogel gauw in heet water om hem te kunnen plukken. Vader Django keurde Elmo's strooptochten niet goed. Toch vroeg hij niet waar het eten op zijn bord vandaan kwam. De tijden waren inderdaad al moeilijk genoeg. En als Maira had gezien hoe Elmo aan die kip kwam, dan hield ze stijf haar mond. Die gaadzje hadden het aan zichzelf te danken. Moesten ze maar aardig doen. Ze vroegen er zelf om, vond Maira, dat het 'dieventuig' af en toe een loslopend kippetje meenam.

Falko kwam naast haar lopen. Hij knipoogde en legde zijn vinger op zijn lippen. Dus Falko luisterde ook stiekem mee. Maira knipoogde terug. Jammer genoeg ging haar andere oog ook dicht. Ze moest nog eens goed oefenen.

Vader Django begon geërgerd te klinken. 'O ja? Behalve op de Adderwal zou ik hier geen boer weten waar we terecht kunnen. Ze kijken ons aan alsof ze ongedierte zien.'

'Dan zoeken we toch een plekje aan de bosrand, net als vroeger,' zei moeder Bloema koppig.

'Ja, en dan opgepakt worden! Vroeger bestaat niet meer, hart van me. Je weet best dat het nog erger kan. Die Duitsers... Er gaan verhalen over kampen ver in het oosten. Werkkampen. Daar is een Sinto niet vrij. In Duitsland houden ze niet meer van ons. Daar zijn mensen van de weg nu vogelvrij. Je weet wat ze vertellen.'

'Verhaaltjes,' zei moeder Bloema. 'Verhaaltjes zijn leuk voor jouw moeder om de kinderen mee bang te maken. Maar ik trap daar niet in.'

Maira schrok. Wat was haar moeder boos!

'Dat neem je terug!' zei vader Django hard. 'Zo praat je niet over mijn moeder.'

'Mij best. Maar die verhalen over die kampen geloof ik niet. Prikkeldraad en geweren... Mensen zijn toch geen beesten!'

'Bloema, wat je ook zegt, ik neem het risico niet,' zei vader Django beslist. 'Ik zet de levens van mijn kinderen niet op het spel.'

'Alsof ik niet van ze houd!' brieste moeder Bloema. 'Ik denk ook aan hen! Maar ze moeten toch eten? Die anderhalve viool die jij repareert...'

'Genoeg! Mond dicht. We doen het zoals afgesproken.'

Toen zweeg Maira's moeder gelukkig.

Maira liep nadenkend verder naast het paard. Haar vader had natuurlijk gelijk. 'Wacht maar tot de Duitsers jullie te pakken krijgen!' had een agent een tijdje geleden gedreigd. Het was een Nederlander, maar veel Nederlanders haatten de mensen van de weg net zo erg. 'De Duitsers weten wel raad met jullie!'

Maira's moeder liep langs en klom met kwaad zwiepende rokken de trap op. Ze verdween in de wagen.

Er was ook niets meer aan om te trekken, sinds de ooms hadden besloten op één plek te blijven. Maira miste Foeksa heel erg – wat had ze nou aan de jongens? Inkomsten waren er ook niet meer genoeg. Ze konden niet meer meedelen in de opbrengsten van de optredens van oom Wasso en zijn zoons. Oom Tsjavolo had altijd lekker verdiend met stoelen matten. Tante Lalla had altijd veel kammen en borstels verkocht; mensen hadden medelijden met haar omdat ze mank liep. Maar nu moest het gezin van Django Meinhardt het alleen zien te rooien. De opbrengst van de lintjes was amper genoeg voor een beetje melk en brood. Maira's vader kreeg weinig muziekinstrumenten meer te repareren. Van haar moeder werden nog wel af en toe kunstbloemen gekocht, mondjesmaat. De oorlog maakte dat de mensen niet aan feesten dachten. Zelfs een paar uur wieden in ruil voor een maaltje aardappels was er nu vaak niet meer bij. Misschien omdat de boeren ook bang waren voor de Duitsers.

'De tijden zijn al moeilijk genoeg,' zeiden de gaadzje met strakke monden. 'Dieventuig kunnen we er niet ook nog eens bij gebruiken!' Dieven?! Hoe kon je iemand die om werk kwam vragen nou een dief noemen!

Vroeger, als Maira met een van haar broers meeging om een viool terug te brengen die haar vader had gerepareerd, dan deden de mensen zó dankbaar! En ook als ze mee uit venten ging met haar moeder, dan mochten ze vaak genoeg binnenkomen en koekjes eten. En nu? Nu smeten de gaadzje de deur voor hun neus dicht!

'Je hoort zulke rare verhalen tegenwoordig!' zeiden ze.

'Inderdaad,' zei Falko. Verbaasd keek Maira naar haar grote broer. Had ze hardop gepraat? Gauw maakte ze van Falko's mededeelzaamheid gebruik.

'Vertel eens?' vroeg ze nieuwsgierig. Ze dempte haar stem. 'Wat voor verhalen?'

'Tsja, wat voor verhalen... Over lijsten met namen waar geen mensen meer bij horen. Over brieven waar nooit antwoord op komt. Over mannen met geweren die op mensen jagen alsof het hazen zijn. Over volle treinen die leeg terugkomen. Rare verhalen. Geen verhalen die iets goeds beloven voor mensen van de weg.' Hij schudde zijn hoofd. 'Geen verhalen voor kleine meisjes.'

'Ik ben geen...'

Maar Falko pakte zijn gitaar uit de wagen, glimlachte naar haar en begon een danswijsje te tokkelen. Al gauw bleef hij achter, zoals gewoonlijk.

Maira bleef naast Raklo lopen. Het was de laatste keer. Straks zou ze afscheid moeten nemen van haar paardje. Hem zou ze missen. Ze hield haar hand onder zijn manen en voelde zijn huid trillen als hij een vroege vlieg probeerde weg te jagen. Lieve Raklo. Hij en zij waren even oud, elf jaar. Ze waren op weg geweest naar een bevriende boer, waar Bloema vast in de bedstee had gemogen. Maar ze haalden het niet en moesten in het bos een kamp opslaan. En toen was het veulen eerst gekomen.

'Een jongetje,' had Bloema gezegd toen het vochtige dier overeind krabbelde. 'Dan krijg ik vandaag misschien ook nog een meisje. Ik heb nu wel genoeg jongens.' Daarna was ze de kring wagens uit gegaan en was op het stro gekropen onder de kraamwagen een eindje verderop. Pas zes weken later was ze weer tussen de anderen verschenen met Maira op haar arm. Maar met het veulen had de kleine Maira toen al vriendschap gesloten, want veulens trokken zich niets van kraamgebruiken aan.

Dat was alles wat Maira over haar geboorte te horen had gekregen. Het belangrijkste, want zo wist ze tenminste dat Raklo en zij bij elkaar hoorden. Ze borstelde hem elke dag. Zijn manen waren even pikzwart en glanzend als haar eigen haar, en zijn vacht had dezelfde kleur als haar huid. Haar broers deden heel stoer met hem, alsof alleen zij er verstand van hadden met hem om te gaan. Maar Raklo was ook haar vriend. Het was geen lastig paard. Alleen als Manito op zijn rug klom (wat hij soms probeerde als ze langer ergens stonden), dan gooide hij zijn achterbenen in de lucht en galoppeerde ervandoor. Moest je Manito horen mopperen als hij er achteraan moest om het paard weer te vangen... Maira grinnikte. Ja, Raklo zou ze heel erg missen.

'Au!' riep ze toen boos. Elmo had haar een stomp gegeven. Onder de hals van Raklo door, want hij was aan de andere kant van het paard komen lopen. Hij rukte het touw uit haar hand. Raklo schudde onrustig met zijn hoofd.

'Er valt niets te lachen!' Er leek wel een brok in Elmo's keel te zitten.

'Stel je niet aan!' zei Maira. 'De wereld vergaat niet, hoor.'
Zij zag er ook tegenop om in een huis te wonen. Maar het was
niet voor altijd. Als de oorlog voorbij was, zouden ze de wagen ophalen en verder gaan zoals altijd. 'Het is alleen maar
voor zolang.'

Elmo gaf geen antwoord. Dat was raar. Ze keek onder de
paardenhals door om zijn gezicht te zien. Hij keek woedend
terug. Glinsterden zijn ogen? Raklo schudde alweer zijn
hoofd op en neer – het touw schoot uit Elmo's hand. Raklo
deed alsof hij opzij wilde springen (maar hij deed het niet,
want Raklo deed zelden rare dingen als hij ingespannen was).

'Wat heb je nou!' zei Maira boos tegen haar broer.

'Hou daarmee op!' Haar vader trok Maira opzij, gaf haar
een draai om haar oren en pakte het halster beet. 'Maak dat
paard niet gek. Wegwezen jullie, allebei!'

Maira en Elmo trokken zich terug achter de wagen, maar
ze bleven zo ver mogelijk van elkaar lopen. Maira plukte pinksterbloemen, net of er niets aan de hand was. Krasa kwam
aanrennen.

'Ik ook!'

'Goed zo, vogeltje, help jij me maar.'

'Krasa! Kom hier!' riep haar moeder uit het raam. Gedwee
liep Krasa langs de wagen naar de trap. Niks voor Krasa, die
gehoorzaamheid.

Maira ging koppig door met bloemen plukken. Ze deden
allemaal stom. Wat gaf het nou om een poosje in een huis te
wonen! Er was toch niets verloren? Haar vader zou de wagen
een tijdje bij een boer stallen, dat was alles. Omdat trekken
verboden werd. Omdat de Duitsers op hen joegen. Omdat
hun namen ook waren opgeschreven. Omdat je van die rare
verhalen hoorde, over lijsten met namen waar geen mensen
meer bij hoorden.

Er trok een rilling over haar rug. Misschien had Elmo gelijk, misschien verging de wereld wél vandaag. Maira had haar broer nog nooit zien huilen. Elmo, die zo van schieten en geweren hield! En haar vader had haar pijn gedaan. Dat was ook voor het eerst.

De wagen stond met een ruk stil, zó plotseling, dat Falko zijn elleboog stootte aan de achterkant en bijna zijn gitaar liet vallen. Maira rende naar voren.

'Zo,' zei haar vader. 'Hier is het. Van hier gaan jullie naar het noorden, naar de brug. Elmo en ik brengen de wagen naar boer Wansink op de Adderwal.' Hij knikte naar Falko. 'Zoon, jij zorgt voor ze. Stel me niet teleur.'

Falko keek verlegen en hield zijn gitaar achter zijn rug, alsof hij zich er opeens voor schaamde.

'Bloema!'

Zijn vrouw verscheen op de plank. De kinderen keken zwijgend toe. Ze wisten wat er kwam. Ze hadden die ochtend allemaal een mand ingepakt. Hun dekens, hun kleren, hun kostbaarheden. Moeder Bloema had hun allemaal wat extra's gegeven: pannen, serviesgoed, lakens. In haar eigen mand zaten de stof voor haar bloemen, het ijzerdraad, de zilveren schaar, de tang om te knippen en de tang om te buigen. Ook het gereedschap van vader Django zat daarin. Nu was de wagen leeg, op het fornuis, het buffet en het stapelbed na. Zelfs de tafel en de stoelen moesten mee – op de ruggen van de jongens. Haar vader sleepte ze al naar buiten. Een naar gezicht, zoals hun mooie spullen zomaar in het grind stonden. Gelukkig was het droog.

Haar vader kwam naar buiten met een matras en gaf het aan Maira.

'Draag dat op je rug – hier heb je een riem. Bind hem vast om je buik.'

Het was geen manier om een stad binnen te komen, vond Maira. De chique mensen daar zouden hun neus ophalen!

26

'Waarom kunnen we niet met de wagen de stad in? Veel makkelijker,' zei ze.

Haar moeder gaf haar een klap. Dat was de tweede al vandaag! Maira wist niet wat haar overkwam.

'Niet zo brutaal. Niet vandaag, alsjeblieft.' Ze leek boos, maar haar stem klonk alsof ze keelpijn had.

'Maar...' Het was toch zo! Waarom slepen met huisraad als je een wagen had? Toch slikte Maira die vraag in – ze wilde niet nog een klap. Dan maar voor aap lopen met een dubbelgeklapt matras op haar rug.

'Ja, natuurlijk! De wagen voor de deur zetten,' bromde haar vader. Hij kauwde op zijn onderlip of het een stuk brood was. 'Je kunt net zo goed een bord op de deur spijkeren: hier wonen zigeuners! Kom ons maar halen!'

Zigeuners! Dat was hoe de gaadzje hen noemden. Ze bedoelden er meestal niets aardigs mee. Waarom gebruikte haar vader dat woord?

Falko en Manito werden bij hun vader geroepen. Met Elmo stonden ze om hem heen. Maira moest haar moeder helpen met het oprollen van het beddengoed en de manden van de meisjes, maar intussen luisterde ze scherp naar wat haar vader zei.

'Ik wil dat jullie het allemaal goed in je oren knopen. Je weet nooit wat er gebeurt. Dus opletten – vooral jij, Falko. De wagen staat in de schuur bij Wansink op de Adderwal. De boerderij ligt verscholen tussen de bomen en de weg loopt daar dood. Er is een bosje daar vlakbij; in het midden ligt een bosweitje. Daar zal de boer Raklo laten grazen. Hij mag het paard gebruiken zolang onze wagen in zijn schuur staat. Maar het blijft van ons, denk daaraan.'

'Gaat u Raklo dan niet zelf halen?' vroeg Manito. 'En onze wagen?' Hij zag er ongerust uit.

'Natuurlijk wel – als de oorlog voorbij is. Maar wie weet wat er nog gaat gebeuren? Het is mogelijk dat een van jullie het moet doen.' Moeder Bloema hield op met het instoppen van een mouw die uit een mand hing en ging rechtop staan. Vader Django keek zijn kinderen om beurten aan. 'Falko. Elmo. Manito. Maira. Kersja. Krasa. Misschien is het uit met ons oude leven. Misschien komt het nooit meer terug. Maar jullie zijn het allerbelangrijkste voor je moeder en mij. Wat deze rot-oorlog ook met ons doet – als jullie er maar heelhuids uit komen. Jullie zijn mijn hoop voor de toekomst.'

'Onze hoop,' zei Bloema.

Django knikte en legde zijn hand even op de arm van zijn vrouw. Opeens werd Maira ook bang. Stel je niet aan, zei ze tegen zichzelf. Wat kon er nou gebeuren? Ze zouden gewoon een tijdje in een huis wonen. Ze zouden weinig te eten hebben. Django Rosenberg zou soms een paar nachten van huis blijven, omdat het werk niet voor het oprapen lag en hij van tijd tot tijd zou optreden met zijn broer. Maar was dat zo erg? Falko was al zeventien. En gelukkig niet getrouwd, want dat met Patsja was niet doorgegaan. Patsja was een Rosenberg, een nicht, en toen Patsja's moeder merkte dat er iets broeide, zorgde ze ervoor dat Falko en Patsja nooit meer alleen waren. Maar beter ook, want als Falko getrouwd was, dan zou hij nu bij Patsja's familie zijn. Maira kon haar grote broer nog niet missen! En haar vader zou altijd weer terugkomen – hij was een man van de weg, hem kon toch niets gebeuren!

'Kijk goed waar we zijn,' zei vader Django nu. 'Onthoud deze splitsing. Vanaf hier is het gewoon de weg volgen, tot de tweede zijweg links. En dan almaar rechtdoor tot aan de Adderwal. Een zandpad met bomen erlangs. Je herkent het meteen – het kronkelt als een slang.'

'En vanavond bent u weer bij ons, hè,' vroeg Maira. 'In de stad.'

'Ik wil niet in een huis,' zei Manito. Hij stond met zijn handen in zijn zakken, zijn schouders breed, een stoere kerel van dertien – maar dat dunne stemmetje verraadde hem. 'Moet ik dan ook naar school?'

Vader Django grinnikte opeens. 'Dat zullen we wel eens zien,' zei hij. 'Goed idee, Mani.'

Het brak de spanning. Alleen Manito keek nog benauwd.

'Maar dan moet ik de hele dag binnenblijven!'

'Ja,' knikte zijn vader. 'En stilzitten! Mijn moeder is een tijdje naar school geweest – nou, dat is me wat! Als je maar even op je stoel zit te draaien, krijg je klappen met een stok!'

Manito balde zijn vuisten en vader Django lachte. Maar het klonk niet zoals ze gewend waren.

Falko schoof zijn gitaar op zijn rug en maaide even met zijn hand over Manito's haar.

'Ik wil ook niet in een huis,' zei Kersja. 'Ik wil bij Raklo blijven.'

En toen drong het pas goed tot Maira door dat ze het paard achter moesten laten. Hele dagen zonder haar Raklo! Ze ging gauw om zijn hals hangen en drukte haar gezicht in zijn manen.

'Hé! Blijven jullie daar de hele dag staan?'

Een boer wilde erlangs met zijn trekker. Vader Django trok Raklo mee tot de wagen half in de berm stond. Hij nam zelfs zijn hoed af. Ja, de oorlog had veel veranderd.

'Stelletje stinkzigeuners,' schold de boer. 'Doen of de wereld van hén is.' Hij mopperde niet maar wat voor zichzelf heen, want dat zouden ze niet eens gehoord hebben boven het lawaai van de trekker uit. Hij riep het expres zo hard dat ze het wel moesten verstaan. Maira keek naar haar moeder. Die veegde woedend haar neus af en rukte haar kin omhoog. In hun eigen taal riep ze de gadzjo een lelijk woord na.

'Ach, zo'n boer...' zei vader Django. 'Die zit vast aan zijn eigen miezerige stukje grond. Terwijl wij...' Zijn blik versomberde. Zij hádden de hele wereld niet meer. Hij zette zijn hoed recht en begon opdrachten uit te delen.

'Falko, je kunt wel wat meer dragen dan die gitaar. Neem jij de tafel op je rug.'

'Ik wil mijn fornuis niet achterlaten,' zei moeder Bloema met een ongelukkig gezicht. 'Ik heb het al sinds ons trouwen.'

'Ik haal het later op. Tot zo lang moeten we maar op de grond koken. Er zijn ergere dingen.'

'In dat huis?' vroeg Maira.

Voor het eerst van haar leven zag ze haar vader onzeker kijken.

'Eh... nee. Achter het huis, denk ik. Misschien is er een kachel. Nou vooruit, sta daar niet te staan. Mars, jullie.'

De kleine stoet zette zich in beweging.

'Denk erom, Bloema!' riep vader Django nog. 'Pas goed op die mand van jou! Onze hele toekomst zit erin!'

'Niks hoor. Onze toekomst loopt ernaast,' riep moeder Bloema terug. Maira keek om. Ze zag dat haar vader zich schaamde.

Zo liepen ze naar de brug: beladen met hun hele hebben en houden. Het ging verschrikkelijk langzaam.

'Kijk daar!' piepte Manito ineens. Hij wees. Maira en haar moeder zagen het ook: bij de oprit naar de brug stonden Duitse soldaten. Ze droegen grijsachtige uniformen en hadden rare helmen op. Zodra ze de Meinhardts zagen naderen, gingen ze dreigend rechtop staan.

'We moeten erlangs,' zei moeder Bloema. 'Kom kinderen, kin omhoog en rug recht.'

Het was moeilijk om met je kin omhoog te lopen als je een matras, een mand en een stoel moest dragen. Maira wist niet waarom, maar ze schaamde zich verschrikkelijk onder de blikken van die Duitsers.

'Halt! Waar gaat dat naartoe?'

Moeder Bloema antwoordde trots in het Duits.

'Naar ons huis in de stad. Mijn man heeft het gehuurd. Het staat op onze naam.'

Elmo keek nieuwsgierig naar de geweren van de soldaten, maar Manito had zijn duim in zijn mond. Dat had Maira hem al in geen jaren meer zien doen.

'Zigeuners zijn jullie!' De Duitser bekeek hen misprijzend. 'Met dat luizenboeltje op je rug.'

'Kabouterstoeltjes!' grijnsde een andere soldaat. 'Sneeuwwitje en de zeven dwergen!' Hij duwde tegen de stoel in Maira's hand. Maira verloor bijna haar evenwicht, wat hij ook komisch scheen te vinden. Ze keek de grapjas woedend aan.

Moeder Bloema haalde een papier uit haar blocs. Maira wist dat ze het niet kon lezen, maar ze stak het de soldaat toe alsof ze precies wist wat erop stond.

'Ik heb het recht!'

De soldaat deed alsof hij iets heel vies aanpakte. Hij bestudeerde het papier heel lang. Om hen te pesten, dacht Maira.

De grapjas lachte niet meer. Hard zei hij: 'Persoonsbewijzen!'

De huid van moeder Bloema was zo donker dat je haar alleen zag blozen als je haar heel goed kende.

'Die heeft mijn man. Hij komt direct achter ons aan.'

'Dat is een overtreding! Je moet papieren bij je hebben!' De soldaat pakte zijn geweer op.

Opeens zag Maira haar moeder veranderen. Ze trok Krasa en Kersja naar zich toe – Krasa liet het deze keer zomaar toe – en glimlachte lief naar de soldaat. Met een buiging van haar hoofd werd ze de Lola Loeloedji die ze op de kermis wel eens speelde – een verleidelijke waarzegster.

'Ik ben toch maar een domme zigeunerin. Wat moet ik met documenten? Ik kan niet eens lezen. Maar als u uw toekomst wilt weten? U lijkt me een dapper man. Zo te zien gaat u een roemrijke toekomst tegemoet. Zal ik u de hand lezen?'

Heel even kwam de soldaat in de verleiding. Toen blafte hij: 'Wegwezen! Of moet ik jullie allemaal oppakken? Die bedelarij is verboden!'

Uit het wachthuisje kwam een derde militair. Deze had geen helm maar een kepie op, en hij droeg geen geweer maar een pistool op zijn grijsblauwe heup.

'Zigeuners! Problemen?' Hij legde zijn hand op het wapen.

De eerste soldaat gaf hem zwijgend het papier van moeder Bloema. Hij las hardop de naam van een straat.

'Wat moet u daar?'

'Wonen,' zei moeder Bloema. 'Als het mag. Maar als u liever hebt dat we aan deze kant van de rivier blijven kamperen...'

'Opgedonderd!' zei de militair – of was het een politieman? 'Naar dat huis, en snel wat. Als we ook maar één klacht krijgen, dan zetten we je op de trein naar Polen. Dus zorg dat dat stelletje ongedierte van je zich gedraagt!'

Weer veranderde er iets in moeder Bloema's houding. Haar kaak spande zich. Maira moest gauw haar hand grijpen en er héél hard in knijpen – anders hadden de soldaten een goede reden gekregen om hen allemaal in de gevangenis te gooien.

Het was een winkel geweest. Het pand was niet zoveel breder dan hun wagen. Het was bijna helemaal leeg, alleen op de grond lag hier en daar nog wat. Een viezig lapje dat een zakdoek geweest kon zijn, een gordijnring, een waterglas met een barst erin. En een stoffig popje gemaakt van een strengetje wol, dat de jongste meisjes bijna meteen uit elkaar begonnen te trekken omdat ze er allebei mee wilden spelen. Het schoot Maira te binnen dat ze haar pinksterbloemen langs de kant van de weg had laten liggen. Jammer – het was zo donker en somber hier binnen. Bedompt.

De keuken was helemaal achterin. Er was geen fornuis, maar je kon nog zien waar het gestaan had aan de vuile strepen op de muur. Er was wel een wasbak van steen, met een kraan erboven waar ook echt water uit kwam. In de bak kon je de afwas doen, en dan was er achter op het binnenplaatsje nog een kraan om je handen te wassen. De afwasbak zat in een reusachtig soort buffet – maar het was geen buffet, want de kastjes zaten vast aan de muur. Toen ze hun pannen erin hadden gezet, bleef er nog ontzettend veel ruimte over.

Bloema Meinhardt zuchtte tevreden.

'Hij heeft goed gezorgd, je vader,' zei ze tegen Maira. 'Ik geloof dat hij toch gelijk heeft gehad. Het zijn beesten, die Duitsers.'

'Ja hè,' zei Maira. 'Maar hier kunnen ze ons niet pakken.'

'Ik hoop het niet... Kom, het is hier een bende, laten we eerst maar eens schoonmaken.'

Er paste maar één kamer naast de trap. Daarom moesten ze om in de eerste slaapkamer te komen een trap op, en dan naar de woonkamer wéér een trap. Het gekste van het huis was het grote raam middenin, waardoor je van de eerste verdieping recht in de winkel kon kijken. En zelfs tot op straat, want er hing geen vitrage voor het winkelraam.

Maira had een onwennig gevoel als ze beneden in die winkel stond. Voorbijgangers konden zomaar naar binnen kijken. Niet helemaal tot achterin; een houten schot met een deurtje erin versperde het zicht. Zo'n uitstalkast was wel handig als je iets te verkopen had.

'Daar kunt u uw bloemen uitstallen, Mama,' zei Maira. 'Dan kunnen alle mensen ze zien zonder dat we er wat voor hoeven te doen!' Makkelijk als ze niet meer langs de deuren hoefden! Ze konden gewoon lekker zitten wachten tot de klanten vanzelf op de waar af kwamen.

Er klonk gestommel, en toen een paar harde bonken. Ten

33

slotte een harde bons en een gil. Daarna het huilen van Manito. Maira en haar moeder vlogen naar achteren. Manito lag onder aan de trap. Op zijn voorhoofd kwam een buil op en hij bloedde uit een schram.

'Ezelsveulen!' schold zijn moeder. 'Let dan ook op!'

Ja, aan die trap moesten ze ook wennen. En nog zoiets: boven de keuken zat een kamertje dat bedekt was met tegels, en daarin stond een badkuip op pootjes. Met ook al kranen erboven. En het bad was zo diep dat je er helemaal in kon onderduiken.

'Ik wil in bad!' riep Maira verzaligd.

'Niks ervan, eerst werken,' zei haar moeder. 'En de geiser is nog niet aangesloten. We wachten op je vader.'

Maira wist niet wat een geiser was. Er waren meer nieuwe dingen in huis: een porseleinen pot waar water in stond bijvoorbeeld. Het duurde even voordat Maira begreep waar die voor bedoeld was (ze durfde het niet te vragen) en toen ze aan de ketting trok die ernaast hing, schrok ze zich een ongeluk van de waterval die opeens naar beneden kwam. En Elmo ontdekte achter een deur een trap die de grond in leidde! Er was geen licht, langzaam en griezelend daalden de kinderen in de onderaardse spelonk af. Maira wist dat het 'kelder' heette, want de meeste boerderijen hadden er ook een, maar ze was er nog nooit echt binnengegaan. Het rook er naar aarde en schimmel en aardappelen en nog iets, een scherp luchtje dat ze niet thuis kon brengen.

'Kolen,' zei Elmo, die een lucifer had afgestreken. 'Voor in de kachel.' Want in de woonkamer stond een koepelvormig geval van zwart ijzer met een gekromd ruitje erin. Er hoorde een raar soort kan bij waar je de kolen in opschepte. Het gaf verschrikkelijk veel stof, zwart stof waar je van moest niezen.

'Waarom staat dit huis leeg?' vroeg Maira aan Falko. Omdat Falko al zo'n beetje volwassen was, wist hij wel eens iets dat de kinderen niet te horen kregen.

34

Haar broer haalde zijn schouders op.

'Die mensen die er woonden zijn weg,' zei hij. 'Jodenmensen. Ze zullen wel naar Duitsland zijn.'

Maira staarde hem aan.

'Naar...?'

'Zo'n kamp, denk ik,' zei Falko. 'Om te werken...' Hij leek het niet erg zeker te weten.

'Maar als ze dan terugkomen? Waar moeten wij dan heen?'

Weer haalde Falko zijn schouders op. Hij keek haar niet aan.

Volle treinen die leeg terugkomen... Maira durfde niet verder te vragen.

Vader Django kwam niet thuis die avond en toen Maira op het matras lag in de slaapkamer op de eerste verdieping, voelde ze zich niet veilig. Ze had almaar het gevoel dat er iemand de trap op zou komen sluipen. Het huis was gewoon een maat te groot. Een wagen paste om je heen als een wollen want om je hand. Hier was alles hoog en hol en de muren roken naar schimmel. Er waren ook van die enge geluiden. Scherpe knallen in het hout, gezoem in de buizen, gebonk tegen de muur. Want het huis lag ingeklemd tussen andere huizen en je kon alles horen wat de buren deden. En dat waren vreemde mensen, je wist niet wat ze in de zin hadden. Maira en haar zusjes sliepen op de eerste verdieping, want de broers hadden per se boven willen slapen. Hun moeder lag daarnaast in de woonkamer. Dus iedereen sliep veilig op de hoogste verdieping, behalve zij! Inbrekers zouden het eerst bij Maira, Kersja en Krasa zijn... En wat als de Duitsers kwamen? De eerste nacht deed Maira geen oog dicht.

De volgende ochtend probeerde ze pap te koken op de kolenkachel, maar het werd niet eens lauw. Haar moeder gooide de vieze brij weg en maakte van wat oude planken een vuurtje op de binnenplaats. Ze stuurde Falko en Elmo op pad om te sprokkelen. Maar die bleven bijna een uur weg en kwamen toen zonder brandhout terug. Het vuurtje op de binnenplaats was toen niet meer dan een smeulend hoopje.

'Niks,' zei Elmo. 'Alles aangeharkt en opgeruimd. En toen we een dode tak uit een vlierstruik braken, gooide een man een steen naar ons.'

'Het was een park,' zei Falko.

'Dood hout is toch dood hout. Wat kan je daar nou anders mee doen dan opstoken!'

'Dat wou die man misschien zelf doen,' zei Falko.

'Onzin,' zei moeder Bloema. 'Zij hebben hun kolen toch. Die gaadzje willen gewoon alles voor zichzelf houden. Nou, dan eten we wel brood.' Ze telde zorgelijk het stapeltje voedselbonnen waar vader Django laatst mee thuisgekomen was. 'Alles is op de bon en wij krijgen niks.'

Maira wist dat ze niet moest vragen waar deze bonnen dan vandaan kwamen.

Haar moeder stuurde haar naar de bakker. Niet alleen natuurlijk; Manito liep met haar mee. Maar toen ze bij de winkel kwamen, stuurde hij haar met een smoesje alleen naar binnen. Toegeven zou hij het nooit, maar Maira wist dat hij zich niet tussen de gaadzje durfde te wagen.

Binnen stonden wel vijf volwassen vrouwen met opgestoken haren, en één meisje met een plooirok en afgezakte kniekousen. En ze staarden haar allemaal aan. Achter de toonbank was een spiegel en daar zag Maira tussen de blonde, bleke mensen één meisje staan met pikzwarte losse haren, een lichtbruine huid en ogen die fonkelden als kooltjes uit de kolenkit. Gek, dacht ze, vroeger vond ik de gaadzje anders. Maar ík ben het die anders is.

Ze schudde haar krullen op haar rug en zei luid: 'Een waterbrood alstublieft.' Ze gaf de bakkersvrouw trots een distributiebon en deed net of ze niet merkte dat die meid een snurkend giecheltje gaf.

'Nou komt dat zigeunertuig ook al tussen nette burgers wonen,' zei iemand. Die dacht zeker dat ze geen Nederlands verstond. Maar toen Maira omkeek om te zien wie dat zei, staarden ze allemaal strak voor zich uit.

Op de terugweg verdwaalden ze. Wat raar; dat gebeurde haar in het bos nooit. Elmo lachte hen uit toen ze eindelijk thuiskwamen.

'Let dan op de watertoren. Hij staat hier vlakbij en hij steekt overal bovenuit.'

Maira begreep dat je in de stad op andere dingen moest letten dan in het open veld.

Na het ontbijt moest ze meteen het erf achter het huis schoonmaken met emmers water. Haar zusjes hadden nog niet begrepen waar die porseleinen pot voor diende. Daarna moest ze haar moeder binnen met poetsen helpen. Ze griezelde een beetje van het huis, waar zoveel sporen waren achtergelaten door vreemde mensen. In de badkuip vond ze een dotje haren. Nee, dan zou ze zich wel bij de wastafel wassen!

's Middags kwam haar vader terug, met een kruiwagen, en daarop lag hun eigen ouwe trouwe fornuis. Hij zette het neer in de keuken, waar het opeens erg klein leek. Dat was ook zo met de stoelen en de tafel, die in de enorme woonkamer voor dwergen gemaakt leken. Ze zetten de meubels ten slotte maar neer in de keuken, waar ze tenminste in verhouding waren met het fornuisje.

'En hout?'

Tot Maira's spijt verdween haar vader toen weer, met de kruiwagen, zijn mouwen opgerold en zijn hoed achterop zijn hoofd. Gelukkig kwam hij voor de avond terug. Ze kropen

37

met z'n allen in de keuken bij elkaar – daar was het tenminste niet zo verschrikkelijk groot en galmend. Haar vader had ook een vet tam konijn meegebracht en dat aten ze gestoofd met aardappels en paardenbloemsla. De volgende dagen naaide moeder Bloema gordijnen en kussenslopen van oude lakens om de woonkamer mee te stofferen. Maira vulde de hoezen met hooi en onzelievevrouwebedstro dat ze zelf ging zoeken in de kleine bosjes buiten de stad. Maar galmen bleef het in huis.

Kersja en Krasa maakten een vriendinnetje: Liesje van de buren. Maira vond het een flauw kind. Maar Liesje ging naar school en kon al een beetje schrijven, en daar maakte Maira gebruik van toen ze een bordje maakte voor in de uitstalkast.

Die werd heel mooi, met kleurige doeken waarop Maira en Kersja de kunstbloemen te kijk mochten leggen. Falko's gitaar kreeg er ook een plaatsje en de viool van vader Django stond te pronken in het midden. Daarnaast stond het bordje dat Maira had geschilderd:

wij repaareere ale insrumente.

ook niewe

Het zag er heel mooi en deftig uit allemaal. Er kwamen die eerste dagen nog geen klanten, maar dat gaf niet. Maira en haar moeder hadden het druk met inrichten, en de jongste twee jongens zochten brandstof en afgedankte meubelen. Intussen leerde Falko van zijn vader alles over hout en lijm en paardenharen snaren. Over niet al te lange tijd zou hij een volleerde vioolhersteller zijn. De winkel veranderde langzaam in een werkplaats.

Eens per week trokken Django Rosenberg en zijn zoons erop uit om voedsel te organiseren. Ze gingen de boerderijen in de omgeving langs en scharrelden bij elkaar wat ze konden. Ze hadden niet genoeg bonnen en in de winkels konden ze niet veel beginnen. Maar de boeren in deze streek waren niet krenterig, al leken ze stug op het eerste gezicht. Na een tijdje wist vader Django precies bij wie hij moest zijn.

Maira wende aan de stadsgeluiden. Alleen aan de bedompte lucht kon ze niet wennen. In hun wagen had het altijd een beetje getocht, zodat ze door de kieren in het hout een vleugje bos kon ruiken, en als ze bij een beek stonden het geluid van stromend water. Nu kroop ze wel eens op de vliering, waar de wind om het dak joeg en de dakspanten kraakten, net zoals hun wagen dat kon doen. Maar slapen mocht ze daar niet van de broers, omdat ze een meisje was. Jammer, ze had wel graag een eigen kamertje gehad, als een gaadzje-kind. Net als Liesje van de buren.

Op een middag kwamen Kersja en Krasa binnen hollen.

'Mama, Mama!' riepen ze met grote ogen. 'Die mensen!' Ze hijgden. Krasa had het eerst haar adem terug. 'Ze eten Raklo op!'

Maira kon zien dat haar moeder schrok, maar ze beheerste zich en zei: 'Ga eens terug en doe de winkeldeur dicht.'

Dat kalmeerde de meisjes een beetje. Maar toen ze netjes aan tafel zaten, waren ze toch nog steeds buiten adem.

'En wat was dat nou voor onzin over Raklo?' vroeg moeder Bloema.

'In de worst.' Kersja snikte en Krasa zag rood van verontwaardiging. 'Ze aten worst en ze zeiden dat Raklo erin zat.'

'Wie?'

'Liesje en Liesjes moeder. Het zijn zulke viezeriken! Ze lopen met hun schoenen in huis en ze lachten ons uit toen wij onze schoenen uittrokken. We zouden met Liesjes poppen spelen, maar haar moeder gaf ons brood. En toen zei Krasa dat het vies rook...'

'Maar dat was heel onbeleefd'

'Maar het rook echt heel vies. En toen zei Liesjes moeder dat Krasa niet zo verwend moest doen want dat het verse worst was, van de paardenslager.'

39

'En toen zei ik: dat mag niet, want Raklo is onze vriend.'

'En toen zei ik: Raklo is ons paard.'

'En toen zei die mevrouw dat alle paarden dood moeten en dat Raklo nu worst was en dat we niet zo kinderachtig moesten doen en dat Liesje ook niet huilde.'

'En toen zijn we weggerend!'

'Goed zo,' zei moeder Bloema.

'Maar Mama, en Raklo dan?'

Maira zei: 'Ik denk niet dat onze Raklo in die worst zat, hoor. Die staat veilig bij boer Wansink in het bos, waar geen enkele paardenslager hem kan vinden.'

Maar ze was er niet helemaal gerust op. Wie zei dat die gadzjo te vertrouwen was?

's Avonds zaten Maira en haar moeder te werken aan nieuwe bloemen. Maira wikkelde groen papier om de stelen en haar moeder knipte bloemblaadjes van gele en rode stof. De zusjes waren naar bed, Falko speelde boven gitaar en de twee andere jongens waren op strooptocht uit.

'Mama,' vroeg Maira. 'Denkt u dat het nog lang duurt, die oorlog?'

'Ik dacht dat jij zo graag in een huis wilde wonen,' zei moeder Bloema.

'Ik vind het in een wagen toch fijner.'

'Ik ook,' zei moeder Bloema. 'Hier in de stad moet ik doen alsof ik iemand anders ben. Daar ben ik niet zo goed in. En de hele tijd maar schoenen aan! Mijn voeten voelen zich nog het meest opgesloten.'

Maira lachte. Dat had zij nou ook.

Haar moeder keek haar aan, met een glimlach op haar gezicht.

'Precies Toetela toen ze klein was. Hetzelfde dikke haar, en net zulke boogjeswenkbrauwen. Je wordt een heel mooi meisje later, engeltje.' Haar gezicht werd weer ernstig. 'Beloof me dat je goed op jezelf past.'

'Ja, hoor. Ik ben niet dom.' Alsof zij zo maar met de eerste de beste jongen mee zou gaan!

'Nee, beloof het me. Met je hart.'

'Ik beloof het, Mama.'

'Ik zou me geen raad weten als ik jou moest verliezen.'

Waar dacht haar moeder aan? Niet alleen aan Maira's eer.

'Het wordt donker,' zei haar moeder toen. 'De jongens hadden allang thuis moeten zijn. Ze trekken zich nooit een ros aan van die avondklok!'

'Volgens mij doen ze het erom,' zei Maira. Het was fijn om met haar moeder zo'n grotemensengesprek te hebben. 'Ze vinden het spannend.'

'Dwazen,' zei haar moeder. 'Maar goed dat je vader niet thuis is. Hij zou ze een pak op hun donder geven!'

Ze werkten een half uur verder.

'Morgen nemen we Krasa ook mee langs de deuren,' zei haar moeder. 'Met een bloem in haar haren. Dat werkt altijd goed.'

Toen werd er keihard op de winkeldeur gebonkt. Maira sprong geschrokken op. Zij was het eerste bij de deur. Ze schoof het gordijn opzij, haakte haar vinger achter het verduisteringspapier en loerde door de spleet. Wie stonden daar in de donkere straat?

'Niet opendoen!' riep haar moeder.

Maar het was al te laat; Maira had de grendel opzijgeschoven en de sleutel omgedraaid. De deur klapte open. Even verwachtte ze geweren en helmen te zien. Toen vielen de jongens naar binnen. Ze hijgden. Meteen deden ze de deur dicht, draaiden de sleutel om, schoven de grendel erop en het gordijn dicht. Elmo deed het licht in de winkel uit.

'Naar boven!'

De jongens holden de trap al op. Kersja schreeuwde angstig. Maira volgde haar moeder haastig naar boven.

'Wat is er?' Moeder Bloema fluisterde. 'Een patrouille?'

Elmo knikte. Hij was nog steeds buiten adem. 'We moesten persoonsbewijzen laten zien.'

'Ze wilden ons meenemen,' zei Manito.

'We zijn ervandoor gerend.'

'Die ene schoot. Vlak naast mijn voet!' zei Elmo.

'Ik zag de vonken uit de keien spatten,' vulde Manito glunderend aan.

Maira voelde haar moeder beven. Maar evengoed haalde ze uit met haar arm. Elmo dook weg. De klap schampte af langs Manito's schouder.

'Dat lap je nooit meer!' zei moeder Bloema. Haar stem trilde. 'Nóóit meer, begrepen!'

De volgende ochtend kwam Liesjes moeder langs. Heel vroeg was het nog; de winkeldeur was nog dicht. Bloema Meinhardt liet haar niet binnen, maar bleef in een kier van de deuropening staan. Maira schuifelde nieuwsgierig naderbij. Ze deed of ze wat verschikte aan de zijden bloemen in de etalage.

'Ik ben Emma. Ik hoorde dat jullie geen stamkaart hebben,' zei de buurvrouw.

'En wat zou dat?' Moeder Bloema hield zich groot, maar Maira wist dat ze de schrik van de vorige avond nog niet te boven was. En paardenvleeseters vertrouwde ze net zo min als Duitse soldaten!

'Dus ook geen voedselbonnen,' hield Liesjes moeder aan. 'Mijn neef kan aan extra bonnen komen. Hier.' Ze duwde iets in Bloema's hand. 'Doe er zuinig mee, want het duurt een tijdje voor ik weer wat krijg. Maar als je iets nodig hebt, suiker of zo, dan klop je maar bij mij aan.'

Maira's moeder bromde iets en schopte de deur dicht.

'Ik vertrouw haar tóch niet,' zei ze. 'Van wie had ze dat, dat wij geen stamkaart hebben? Ze roddelen achter onze rug, die gaadzje. Voor hetzelfde geld verraden ze ons.'

Maira wilde dat haar vader thuiskwam. Zonder hem was haar moeder zenuwachtig. En daar werd Maira weer onrustig van.

'Mag ik vanavond bij jou in bed?' vroeg ze.

'Gek kind. En Kersja en Krasa dan?'

'Die ook...' zei Maira. Haar moeder had gelijk. Het was een stomme vraag. Ze kon haar zusjes toch niet in de steek laten?

'Vooruit dan maar,' zei haar moeder. 'Voor één keertje dan.'

Nooit ofte nimmer

16 mei 1944

'Opendoen!' Het was een harde, Nederlandse stem. Maira
ging recht overeind zitten.

Het begon net licht te worden. Beneden werd hard op de
winkeldeur gebonsd. Wat was er aan de hand?

Maira en haar zusjes hadden er nooit aan kunnen wennen
om zo ver van hun ouders te slapen en daarom stond hun
slaapkamerdeur op een kier. Ze zag haar vader over de overloop lopen in zijn hansop, zijn kleren in zijn hand. Ze kneep
gauw haar ogen dicht. Ze hoorde de planken kraken; hij keek
zeker door het raam de winkel in. Toen rende hij weer naar
boven, waar de jongens sliepen.

'Falko, meekomen.' Zijn gefluister klonk dringend. 'Ze komen voor ons – werkkamp. Pak je kleren en kom naar de vliering. Elmo, jij bent nu de man in huis. Wacht zo lang mogelijk met opendoen. Wij ontsnappen via het dak van de buren.'

Maira voelde haar gezicht verstarren. Ze wilde gillen, beet
in plaats daarvan op haar knokkels. Ze kwamen haar vader
halen! Ze hield haar ogen dicht, om het tegen te houden.

'Maak open, vooruit!' Het bonzen werd dringender. 'We
weten dat jullie er zijn!'

Nu deed Maira haar ogen toch maar open. Ze maakte haar
zusjes wakker en sleurde ze mee, snel voorbij het grote raam,
de trap op. Ze zag haar vader en Falko de ladder opklimmen
naar de vliering.

'Elmo. Jij bent nu verantwoordelijk.'

Dat maakte Maira ontzettend bang. En Elmo zelf ook, zag
ze.

Moeder Bloema kwam uit de woonkamer en haalde de ladder weg. Ze zag lijkbleek. Ze had haar lange rok achterstevoren aangetrokken over haar nachthemd, zag Maira.

Elmo stuurde ze naar beneden. 'Niet opendoen voordat ik het zeg!'

Met haar hand aan haar oor luisterde Maira naar de geluiden van boven. Ze probeerde te zien wat er gebeurde, maar het was te hoog en te donker. Gestommel hoorde ze, en een klap van metaal op steen... Het rommelen van dakpannen, nog een bons, en daarna niets meer. Van beneden kwamen heel andere geluiden: glasgerinkel, de stoten van geweerkolven op hout, en tenslotte het klingelen van de winkelbel. Ze waren binnen!

Elmo's stem klonk schril, angstig. Moeder Bloema rende naar beneden, haar omslagdoek fladderde achter haar aan. Maira wilde achter haar aan, maar haar moeder beduidde haar te blijven staan. Met Manito sloop Maira naar het raam waardoor je in de winkel kon kijken. Ze verscholen zich achter een mand. Ze zag stukken glas, een zware schoen, een stuk van een koppelriem. En de dikke vracht ongekamd haar op de rug van moeder Bloema. Die zette haar handen in haar zij.

'Wat is er aan de hand? Wat moet dat hier!' snauwde ze. Maira herademde. Haar moeder was niet bang.

Zware schoenen kwamen van achter in het huis aanstampen. Een politieman naderde moeder Bloema van achteren.

'Uw man! Waar is uw man?' Hij praatte Nederlands.

'Bij familie,' hoorde Maira haar moeder zeggen.

'U bent Elizabeth Meinhardt?' De man praatte luid; hij kwam terug naar de gang. 'En hier wonen verder nog Antonius Rosenberg, Martinus Meinhardt, Paulus Meinhardt, Reinhard Meinhardt, Maria Meinhardt, Anna Meinhardt en Johanna Meinhardt. Klopt dat?'

In Maira's hals begon iets te kloppen. Dat waren de doop-
namen van haar familie. Het was een lijst.

Lijsten met namen waar geen mensen meer bij horen...

'Maar mijn man is niet thuis. Hij is met mijn oudste zoon
naar...'

'Naar boven!' beval de agent. Nu kon Maira de tweede politieman ook zien. Hij had een pistool op zijn heup en een geweer in zijn handen. De andere man liep onder hen door naar
achteren. Zware schoenen stampten omhoog. Geen tijd meer
om zich aan te kleden. Aan een spijker hing een jasschort van
haar moeder; Maira griste het mee en schoot de slaapkamer
naast de tweede trap binnen, met Manito achter zich aan.
Gauw trok ze het schort over haar nachtpon aan. Het zat veel
te wijd, maar het was beter dan niks. Ze keek om de hoek van
de deur.

'Jullie gaan mee!' zei de politieman die beneden stond.

'Nooit!' zei Bloema Meinhardt luid. 'Nooit ofte nimmer!'
Het klonk gek, er sprong een giecheltje uit Maira's keel. Ze
sloeg meteen haar hand voor haar mond.

De zusjes kwamen de trap af. 'Mama! Mama!' Maira ving
hen snel op. Ze duwde Kersja en Krasa achter een stapel dakpannen, net op het moment dat de politieman de overloop op
kwam. Hij zag hen niet en stampte verder naar boven. Kersja
kroop tegen Maira aan en knelde haar armen om haar nek.
Krasa klemde zich aan haar arm vast.

'Waar is Mama? En Tatta?'

Ze keken met grote ogen naar hun zus op. Gisteren waren
het nog flinke meiden geweest, die aardappels schilden en
de vloer schrobden als volwassen vrouwen. Nu leken ze weer
kleuters. Maar Maira voelde zich net zo.

'Wat komen die mannen doen?'

'Ssst!' siste Maira. Maar dat had al geen zin meer. De politieagent kwam de trap weer af en liep recht op hen af. Hij

sleurde Krasa achter de dakpannen vandaan.

'Hier zitten er drie!' riep hij. 'Meekomen,' blafte hij tegen de meisjes.

'Maar ze zijn niet aangekleed!' riep Maira uit.

'Doe dat dan eerst,' zei de man. 'Twee minuten!'

Maira nam de meisjes mee naar hun kamer en griste wat kleren bij elkaar. Met bevende handen probeerden Kersja en Krasa hun kleren aan te krijgen, terwijl de politieagent onverschillig toekeek in de deuropening. Dat hoorde toch niet! Hoe konden ze zich nu aankleden met zo'n volwassen man erbij! Maira probeerde wat fatsoen in de haren van haar zusjes te brengen, maar ze gilden het uit toen de kam bleef steken. Toen stak ze de kam maar in de zak van het schort. Ze zag geen kans om zelf een jurk aan te trekken; haar nachtpon was dun en die man keek zo.

In ganzenpas moesten ze de trap af, de politieman doorzocht de rest van het huis en kwam terug met Manito. Beneden stonden ze met veel te veel tegen elkaar gedrukt in het smalle stuk. Maira zag Elmo naar de deur kijken.

'Buiten staat er nog een,' zei hij in hun eigen taal. 'Hij staat met een geweer te zwaaien. En ik denk dat er nog meer zijn want...'

'Kop dicht,' zei de agent die blafte als een hond.

De andere zei tegen moeder Bloema: 'U mag per persoon één koffer meenemen. Naam en geboortedatum moeten er duidelijk op staan.'

'Wij hebben helemaal geen koffers, man,' zei moeder Bloema. 'Wat moet een zigeuner met koffers?' Ze klonk nog steeds niet bang, eerder uitdagend.

'Pech dan. Dan kom je zo maar mee.'

Bloema bond in.

'Mag een mand ook?'

'Vooruit dan. Maar één in totaal.'

Haar moeder duwde de agent die de meisjes in bedwang hield aan de kant en liep naar boven. Ze hoorden haar allemaal rommelen. Kersja snikte ingehouden. De blaffende agent stootte met zijn elleboog tegen haar kin. Toen werd ze stil, maar Maira kon haar angst ruiken. Of was ze dat zelf?

De andere man zag eruit alsof hij zich schaamde. Hij nam zijn pet af en krabde op zijn hoofd. Hij had een lichtrode snor en lichtrode wenkbrauwen, en stekeltjeshaar. Net een egel. Maar dan wel een verkeerd soort, want grootmoeder Dotsji zei dat een egel geluk bracht. Misschien was hij een geest, een egelgeest.

'Niet bang zijn,' zei hij. 'Er gebeurt niks.' Hij staarde naar iets achter Maira. Ze draaide haar hoofd een beetje en keek uit haar ooghoek.

Op de knop van een stoel in de werkplaats hing iets zwarts: haar vaders hoed. Het bloed schoot naar Maira's hoofd, en even later prikte het zweet op haar rug. Die egelman had het door: dat haar vader helemaal niet naar familie was. Want welke man ging zonder hoed van huis?

Gelukkig klonk er gerinkel van boven en de agent hief nieuwsgierig zijn hoofd. Het waren haar moeders gouden sieraden, wist Maira. Ze had ze gekregen toen ze ging trouwen: ringen, oorbellen, armbanden, en munten aan een ketting. Allemaal van echt goud. Het was een verzekering tegen slechte tijden. Nou, als dit geen slechte tijd was!

Moeder Bloema kwam weer naar beneden met een mand aan haar arm. Ze had zich in die korte tijd normaal weten aan te kleden en zelfs haar haar gekamd en in een knot gedraaid. Ze daalde statig de trap af, met een rug zo recht als een strijkstok.

'Maira! Waar zijn mijn tangen? En trek schoenen aan.'

'Nederlands praten!' snauwde de kwade agent.

Maira stak haar hand in de zak van het schort. Daar zaten

de tangen in. Ze gaf een heel klein knikje. Haar moeder kneep één tel haar ogen dicht; ze begreep het. Ze ging nog even de winkel binnen en vleide twee stukken mooie zijden stof bovenop de spullen in de mand. Tussen de plooien zag Maira heel even ijzerdraad glimmen, en het zilver van haar moeders mooie schaar. Daaroverheen ging een gewone doek.

Slim bekeken, dacht Maira. Tangen, ijzerdraad, stof: met die dingen kon Bloema Meinhardt overal haar brood verdienen. Maira strekte haar nek. Je eer, die had je in eigen handen. Die kon niemand je afnemen.

Bloema stopte de randen van de doek zorgvuldig in.

'Zo.' Ze keek de agenten niet aan toen ze zei: 'Wij zijn klaar om te gaan.'

'Niet bang zijn,' herhaalde de egelman met het lichtrode haar. 'Ze willen alleen uw papieren in orde maken. Dat willen de Duitsers nou eenmaal. Een formaliteit, meer niet. U bent met een paar dagen weer thuis.'

Raar, dacht Maira. Dat kon toch niet kloppen? Voor zoiets kleins hoefde je niet elk een koffer mee te slepen. Voor een formaliteit hoefde je mensen niet te dwingen met geweren en pistolen. Dat kon je netjes komen vragen.

Buiten draaide Maira haar hoofd alle kanten op. Haar vader en Falko waren nergens te zien. De vader en moeder van Liesje waren naar buiten gekomen. Liesjes moeder had een lichtbruine regenjas in haar hand. Stond zeker op het punt om uit te gaan, dacht Maira, maar wachtte nog even om het spektakel te zien. Een bakkersjongen – de mand op zijn fiets was nog leeg – stond ook toe te kijken, en aan de overkant van de straat, op één hoog, bewoog de vitrage. Aan de overkant van de straat stond nog een politieman in een donkerblauw uniform. Ook hij was gewapend. Hij draaide zijn hoofd van links naar rechts en weer terug; zo kon hij de hele straat in de gaten houden. Een paar huizen naar links stond een man in een groengrijs uniform een sigaret te roken. Maira zag alles, hoorde alles.

'Mama!' Liesje, die op de drempel stond, keek angstig.

'Ga naar binnen, kind,' zei haar vader.

Liesje bleef gewoon staan.

'Ze komen voor de zigeuners,' zei de buurvrouw. 'Niets aan de hand.' Ze deed een stap naar voren en hield Bloema Meinhardt tegen bij haar arm.

'Hier,' zei ze. 'Neem mee.'

'Hoef ik niet,' zei moeder Bloema. Met een draai van haar schouder was ze Liesjes moeder voorbij. Maira kwam er vlak achteraan.

'Het gaat niet om de mantel, mens,' zei Liesjes moeder. 'Het gaat om de voering.' Het laatste zei ze heel zachtjes. Daarom pakte Maira in het voorbijgaan zelf de jas aan. Misschien bedoelde die vrouw het niet slecht. Ze keek even opzij; Liesjes moeder lachte dankbaar.

'Niet mee rammelen,' zei ze.

Er wás dus wat met die regenmantel. Maira moest zich weerhouden om niet meteen eventjes te schudden.

Verderop in de straat, vlakbij de brug, stond een donkerblauwe boevenwagen. Ze moesten erin klimmen. Maira bleef even staan om de jas aan te trekken; de ochtend was fris. In het halfdonker ontwaarde Maira nog meer mensen. Ze praatten zachtjes. Het waren Sinti, zoals zij, maar ze hadden niet bij hen in de buurt gewoond. Haar vader en broer waren er gelukkig niet bij.

Toen haar ogen nog meer gewend waren aan het schemerige licht, herkende ze wél de oude Kori Weiss. Hij was een neef van haar grootvader Nando, die al dood was. Ze zag dat haar moeder hem ook herkende, maar ze zeiden niets tegen elkaar. Kori zat met dode ogen voor zich uit te staren. Maira schoof naast hem op de bank. Zijn vingers bewogen alsof hij piano speelde; het was een eng gezicht. Ze boog voorover om door het raampje te kijken. De lucht werd al blauw, het zou een mooie dag worden. Zou haar vader lang wachten voor hij weer naar huis durfde te komen? Ach nee, wat was ze een domkop. Django Rosenberg kwam natuurlijk niet meer naar het huis waarvoor hij huur betaalde. Zijn naam was ergens opgeschreven, dus dan zouden ze hem toch zo weer weten te vinden! Haar vader zou naar die boer gaan, hoe heette hij, Wansink, en hun wagen ophalen. En daar was Raklo ook. Ze verlangde ernaar haar wang tegen zijn hals te leggen. Het trillen van zijn huid onder haar hand, het zachte gepruttel van zijn adem... Waarom had ze hem niet opgezocht toen ze nog de kans had?

Twee agenten sprongen de wagen in, de motor werd gestart. De deuren stonden nog open. Maira probeerde een laatste glimp op te vangen van het huis waar ze veilig hadden moeten zijn. Ze bukte nog iets verder. Toen zag ze het. De bolle kant van een gitaar die uitstak om de hoek van een huis. Er was daar een steegje tussen de winkelpanden. Ze schrok. Dus Falko was nog niet ver gekomen – en waar was haar vader?

De agent had het ook gezien. Hij gooide de deuren wijd open. Hij schreeuwde, hij wees – de motor ging weer uit.

'Kom tevoorschijn!' riep de agent die blafte. Hij pakte het geweer af van een collega en schouderde het. 'We hebben je onder schot. Jij daar, met die gitaar! Geef je over, dan gebeurt er niets!'

Niet doen, dacht Maira. Laat je gitaar staan en maak dat je wegkomt...

Dreunend renden twee andere agenten voorbij in de richting van het zijsteegje. Ook zij waren gewapend. Een portier sloeg, een man in een groengrijs uniform drentelde voorbij de raampjes van de boevenwagen. Bij de deuren aan de achterkant bleef hij staan toekijken.

Rennen! dacht Maira. De gitaar stond daar nog steeds, en Falko zou zijn instrument nooit achterlaten. Of was hij misschien voor één keer in zijn leven slim geweest...?

'Laatste waarschuwing!' riep de man met het geweer.

Toen bewoog de gitaar. Falko kwam tevoorschijn, zijn handen in de lucht. De ene hing wat lager dan de andere, want daarin had hij zijn gitaar.

'Niet schieten!' riep hij. 'Ik kom al!'

'Snel, snel, snel!' riep de groengrijze man.

Haastig – vreemd haastig – liep Falko op de politiemannen af. Maar Maira snapte het wel: zo gaf hij vader Django de kans om te ontkomen. Dappere Falko. Domme Falko. Lieve Falko.

Even later klom hij de boevenwagen in.

Zinggg! deed een snaar die bleef haken. Toen werden de deuren dichtgesmeten en vergrendeld. De politiemannen en de groengrijze stapten in en de auto trok op. Falko viel om, boven op zijn moeder. Even zat hij op haar schoot. Maira zag dat moeder Bloema in zijn hand kneep.

'Goed gedaan,' fluisterde ze in hun eigen taal.

In haar hart was Maira blij dat Falko bij hen was. Elmo vond zichzelf een hele man, maar hem vertrouwde ze niet. Elmo dacht alleen maar aan zichzelf.

Maira stak haar handen in haar zakken en wiebelde met de jaspanden. Rinkelde daar iets? Ze voelde met haar vingertoppen – in een van de zakken zat een gat. Haar hart begon hard te kloppen. Zo rustig als ze kon, trok ze de regemantel uit en gaf hem aan haar moeder.

'Er zit iets in de voering,' fluisterde ze. 'Misschien geld.'

Haar moeder pakte de jas aan en vouwde hem op met een stalen gezicht. Zonder dat de agenten het merkten, stopte Maira haar ook de tangen toe. Heel onopvallend verdwenen ze onder in de rieten mand.

'Maak je geen zorgen,' zei Bloema Meinhardt tegen haar

kinderen. 'Jullie vader haalt ons hier wel uit.' Hard en uitdagend klonk het. De agent met het stekeltjeshaar glimlachte erom.

Kersja begon weer te huilen.

Maira schaamde zich dood in haar nachtpon.

Ze had gedacht dat ze al bang wás, maar een uur later in de trein besefte Maira dat ze alleen maar een beetje benauwd was geweest. Niets vergeleken bij de wurgende radeloosheid die ze nu voelde.

In de wagon zaten enkel mensen van de weg. Politiemensen met gezichten zonder uitdrukking, wapens in de hand, bewaakten de coupés. Moeder Bloema keek zwijgend voor zich uit, de handjes van Kersja en Krasa in de hare, maar zonder aandacht voor hun gesnik. Krasa had dorst. Kersja wilde weten waar Falko was.

'In de hemel,' zei Manito. Hij leek wel een kraai, een schorre kraai.

Haar eigen stem kon Maira helemaal niet vertrouwen. Toch zei ze – snauwde ze: 'Helemaal niet! Zo erg was het niet! Het komt heus wel weer goed!'

Elmo gaf haar een klap. Bloed sprong uit haar lip.

'Mama!'

Maar moeder Bloema zei er niets van. Ze staarde maar.

En toen zag Maira het ook weer voor zich: hoe Falko was weggerend toen de agenten bezig waren de oude Kori uit de boevenwagen te helpen. Eerst hadden ze hem niet in de gaten. Toen keek de egelman op. Hij zag Falko naar een zijstraat sprinten. Maar hij boog zich over de oude man heen en zei iets tegen hem alsof hij niets had gemerkt.

Natuurlijk! dacht Maira. Die man leek niet voor niks op een egel, het dier dat geluk bracht. In elk sprookje dat grootmoeder Dotsji ooit had verteld was er een *tsjatsjo morsj*, een held. De egelman gaf Falko de kans te ontsnappen.

Maar die stomme gitaar! Een steentje was onder Falko's schoenen weggespat, precies tegen de klankkast. Ploink!

De andere agent, de blaffende, had omgekeken en Falko zien hollen. Hij had iets geschreeuwd. Meteen was er een man in een groengrijs uniform van achter de boevenwagen tevoorschijn gekomen. Hij had zijn pistool gepakt, even gericht, en toen geschoten. Gewoon geschoten!

En Maira zag weer hoe Falko was gevallen, zijn broekspijp rood en gescheurd. Ze voelde weer het lamme gevoel in haar benen, en het kwijl dat uit haar mond droop. Haar mond bleef openstaan omdat ze niet kon geloven dat het echt was gebeurd. Dat Falko was neergeschoten als een hondsdol dier.

Ze zag hoe haar broer zich omdraaide, zich moeizaam half oprichtte, de gitaar tegen zijn buik geklemd, alsof die hem kon beschermen.

'Vergeef me!' zei hij in het Duits.

Dat had de groengrijze juist razend gemaakt. Twee, drie, vier kogels hadden het hout versplinterd. Maira zag de snaren alle kanten op springen – één raakte Falko's gezicht, er sprong een snee in zijn voorhoofd, een tomaatrode lijn, die even bleef staan. Toen verdween zijn oog onder een stroom bloed. Hij hief zijn gitaar op, alsof hij hem toonde. Alsof hij liet zien: ik wilde alleen maar muziek maken in mijn leven. Meer hoefde ik niet.

Maira had een duw en een stomp gekregen en toen waren ze het station binnen geduwd en naar het perron en de trein in, en Falko was er niet bij en misschien was hij dood. En hun vader was er niet bij en die kon hen niet helpen. Want mensen die zóiets deden, dat waren geen mensen.

Er werd naar hen gekeken. Oom Kori Weiss, een eindje verderop, zat te vertellen wat er met zijn achterneef was gebeurd.

De afschuw op de gezichten van de mensen deed Maira goed. Sommigen spraken hun taal op hun manier uit, anderen waren moeilijk te verstaan. Dat waren Roma, die uit het Oosten kwamen. De Duitsers maakten geen onderscheid.

'Voor die lui is een zigeuner een zigeuner,' zei oom Kori. 'Geen stuiver waard.'

Het verlamde gevoel in haar benen was weg, maar nu had Maira het gevoel alsof ze geen ruggengraat meer had, helemaal geen botten, alsof ze helemaal zacht en gesmolten was vanbinnen. De tranen die ze binnenhield hadden haar vanbinnen week gemaakt. Ze wist dat ze haar zusjes moest troosten, dat ze iets moest verzinnen om hen de dorst te doen vergeten, dat ze een verhaaltje moest vertellen over de hemel – want moeder Bloema kon het niet, die zag niets. Maar Maira had geen kracht meer. Niet in haar handen, niet in haar hoofd en niet in haar hart. Wat waren ze waard zonder Tatta en zonder Falko? Een slak zonder huis, een egel zonder stekels. Manito was alleen een praatjesmaker. Met zijn hemel! En Elmo was een bruut. Ze trapte hem tegen zijn schenen.

Hij vloekte, het deed pijn. Dus ze had nog wel kracht! Ze trapte nog eens, om het lekkere gevoel. Haar moeder deed er toch niks aan. Maar nu sprong Elmo boven op haar, hij gooide haar op de vieze grond en begon haar te stompen over haar hele lijf en in haar gezicht. Niet eerlijk, hij was twee jaar ouder. Maar de pijn verjoeg het lamme gevoel in haar lijf. Ze genoot er zelfs van. Toe maar, dacht ze, stomp me maar. De pijn verjoeg de verlammende angst.

'Ophouden!' Het werd in het Duits gezegd, maar Duits verstonden de mensen van de weg net zo goed als Nederlands.

Elmo werd aan zijn kraag opgetild. Een man in een groengrijs uniform – een andere – hield Elmo's gezicht vlakbij het zijne. 'Kakkerlak!' spuugde hij hem in het gezicht. 'Ik zou je hier en nu af moeten knallen!' Toen liet hij de jongen vallen en liep door. Elmo vertrok zijn gezicht toen hij neerkwam, maar hij gaf geen kik. Maira herademde. Als die man had geschoten, was het haar schuld geweest!

De mannen in de donkerblauwe uniformen staarden voor zich uit. De trein daverde verder. Ze reden naar het noorden. Maar bang was Maira niet meer. Haar vader weg, haar broer misschien wel dood – erger dan dit kon het niet worden.

Niet voor altijd

16-17 mei 1944

De Meinhardts waren de laatsten die de trein uit gingen. Moeder Bloema leek niet door te hebben dat ze moest uitstappen en haar vijf overgebleven kinderen wachtten op haar. Ten slotte werden ze naar buiten geduwd door een politieman.

'Vort jullie! We hebben geen eeuwen de tijd!'

Het was net na het middaguur; de reis had lang geduurd omdat ze telkens waren gestopt. Het laatste stuk had de trein door een kale vlakte gereden. Daarna hadden ze even stilgestaan terwijl andere mannen op de treeplanken sprongen. Duitsers in groene en grijsgroene uniformen, die luid naar elkaar riepen. De politiemannen stapten uit. Daarna had de trein nog maar een klein stukje gereden, heel langzaam, en nu stonden ze tussen lange, lage gebouwen. Boven de wagons uit stak een lange schoorsteen de lucht in.

Er waren heel veel mensen uit de trein gekomen. Honderden. Ze werden opgewacht door mannen met banden om hun arm – die hadden geen wapens – en mannen in lange jassen met petten op – die droegen koppelriemen. De mensen wisten niet goed wat ze doen moesten, ze liepen kriskras kleine eindjes met hun zware koffers, en stonden dan weer stil. Er werd geschreeuwd; ze moesten in de rij gaan staan. De bagage werd op kruiwagens geladen.

Toen werden ze over een weggetje tussen de gebouwen door gedreven in de richting waar ze vandaan gekomen waren. Ze moesten allemaal in de rij gaan staan bij een ander laag gebouw.

Aan hun linkerhand was een hoog hek van prikkeldraad.

Elmo keek er fronsend naar, alsof hij probeerde te bedenken hoe hij daaroverheen moest klimmen.

'Wat doen we hier?'

'Registreren!' werd er gefluisterd door de rijen.

'Ze gaan onze namen opschrijven!' zei Manito bangig.

'Polen,' zei Bloema toonloos. Het was het eerste dat ze zei sinds Falko was neergeschoten.

'Polen?' vroeg Maira onzeker.

'Toetela's man heeft familie in Duitsland. Die zijn naar Polen gebracht. Een neef is ze gaan zoeken. Die is nooit meer teruggekomen. Ze stonden op een lijst, de hele familie. Het begint met lijsten. En dan Polen. En dan niets meer.'

Verhalen over lijsten met namen waar geen mensen meer bij horen. Dit was dus een van die verhalen. Als haar vader bij hen was geweest, zou het hun nooit verteld zijn.

Een vrouw met een band om haar arm die voorbijliep met een bagagekarretje, had het gehoord.

'Om te werken,' zei ze. 'Niet voor altijd.'

Bloema reageerde niet. Maar Maira was verbaasd; ze had aangenomen dat het een Duitse vrouw was.

'Maar sommigen van ons blijven hier,' zei de vrouw nog, voor ze doorliep. 'U moet hier werk zien te krijgen.'

Maira en Manito keken haar na.

'Een gevangene!' zei Manito.

Gevangene. Dat klonk rot. Gevangenen waren misdadigers. Of... nee, niet altijd. Haimo Schattevoet had in de gevangenis gezeten, en die had niets gedaan. Die was alleen op de verkeerde tijd op de verkeerde plek geweest.

Net als zij nu. Ze hoorden hier niet te zijn, in dit kale kamp zonder vuur en zonder muziek. Ze hoorden met hun wagen door het bos te trekken. Haar vader zingend naast het paard. Haar moeder met een mand op haar heup, op zoek naar eetbare planten. Elmo en Manito hoorden door het struikgewas te rennen. Falko hoorde achteraan te sukkelen, wijsjes proberend op zijn gitaar. O, Falko...

De rij was opgeschoven, ze gingen het gebouw binnen. Achter lange tafels zaten vrouwen in gewone jurken achter typemachines. Die moesten de namen van iedereen opschrijven.

'Het begint met lijsten,' herhaalde Maira's moeder.

Maira keek door de ramen achter de typende vrouwen. Waar zouden ze gaan wonen? Ze zag alleen een paar ramen in de verte. Ze wiebelde van de ene voet op de andere. Wat duurde het allemaal lang! En haar moeder staarde nog steeds zo vreemd voor zich uit, schoof mee als de mensen vóór haar een pas vooruitgingen, liet zich aan de kant dringen. Ze dacht aan Falko, dat wist Maira heus wel. Zij dacht zelf ook aan hem natuurlijk. Maar ze wilde dat die lege blik van haar moeder verdween en dat ze haar aan zou kijken.

'Mama.'

Haar moeder reageerde niet en Maira wist ook eigenlijk niets te zeggen. Ze moest nodig, maar zoiets zei je niet hardop. En ze had dorst, maar daar viel toch niets aan te doen.

Kersja was al een tijdje stil. Haar tranen waren opgedroogd. Krasa stond een eindje buiten de rij in het rond te kijken met grote ronde ogen, haar handen op haar rug. Ze was klein voor haar leeftijd, dacht Maira opeens. Al acht en toch nog zo'n onderkruipsel. De grote mensen liepen met bochtjes om haar heen; Krasa verzette geen voet.

Voor haar zal ik zorgen, dacht Maira. Krasa gaat niet naar Polen, of waar dan ook heen. Ik zal haar beschermen – Elmo en Manito mochten voor zichzelf zorgen.

Maar ze kon niet verhinderen dat haar moeder even later hun namen opdreunde: 'Elizabeth Meinhardt, Paulus Meinhardt, Reinhard Meinhardt, Anna Meinhardt, Johanna Meinhardt...' Wat was het rijtje kort geworden! Toen drong het tot haar door dat haar moeder háár naam niet had genoemd.

'Mama!' Ze trok haar moeder aan haar mouw. Toen kreeg ze haar zin. Moeder Bloema keek haar aan. Met zó'n felle blik, dat Maira begreep dat ze weer zichzelf was. En terwijl haar moeder het langzamer herhaalde: 'Meinhardt, Elizabeth, dat ben ik, en mijn kinderen Paulus, Reinhard, Anna, Johanna... Nee, Johanna, met een H...' hield Maira zich muisstil en staarde naar de vloer.

Slim was haar moeder! Vier kinderen stonden er voor de lange tafel, en vier werden er opgeschreven. Eén kind hoefde niet op de lijst – zij! Waarom had haar moeder juist haar uitgekozen?

Natuurlijk draafde Krasa achter hen aan toen ze naar buiten gingen, maar de vrouw met de bril was alweer met een ander bezig en lette er niet op. Maira had even het gevoel dat ze onzichtbaar was. Die gaadzje hadden haar niet op hun lijsten weten te krijgen!

De mensen die uit het gebouw kwamen moesten verschillende kanten uit. Het viel Maira op dat degenen die achterbleven allemaal mensen van de weg waren. Ze werden bij elkaar gedreven en moesten terug naar het brede pad dat de hoofdweg van het kamp leek te zijn. En toen... Toen gebeurde het verschrikkelijke.

Achteraf snapte Maira niet hoe ze het hadden kunnen laten gebeuren. Ze werden weer naar een ander gebouw gebracht, een gebouw met tegels en stenen vloeren. Ze moesten zich uitkleden, helemaal naakt. Ze stonden te bibberen en probeerden hun lichamen te bedekken – Maira durfde niet op te kijken – en toen moesten ze zich wassen. Maira schaamde zich verschrikkelijk toen zij aan de beurt was. Zelfs haar zusjes hadden haar nog nooit zonder rok gezien! Toen het voorbij was, knikten haar knieën zó, dat ze blij was dat ze op een kruk moest gaan zitten. En ze merkte eerst helemaal niet dat iemand achter haar bezig was met een schaar. Maar waarom schreeuwden die vrouwen allemaal zo? Ze probeerde opzij te kijken.

'Stilzitten! Anders knip ik in je oor,' zei de vrouw met de band om haar arm die achter haar bezig was.

Haar lange haar! Nog maar een jaartje of zo en het zou tot haar middel komen. Hoe durfden ze het zomaar kort te knippen?

Maar wat er echt gebeurde, begreep Maira pas toen ze het geluid van de tondeuse hoorde.

'Stilzitten!'

Met afschuw staarde ze naar de betonnen vloer. Grote vlokken haar zweefden naar de grond. De laatste resten van haar eigen mooie lange zwarte krullen.

Kaal!

Bloema Meinhardt huilde. Ze was niet in weeklagen uitgebarsten, zoals sommige van de andere vrouwen, maar ze zat stilletjes op haar nieuwe bed, het onderste bed tegen de achterste wand van de barak, waar ze zou slapen met Kersja en Krasa en Maira zelf. Elmo en Manito wilden zich in het bed daarboven installeren, maar dat ging niet door: de mannen werden aan de andere kant van de barak ingedeeld.

De ogen van Kersja en Krasa stonden vreemd groot in hun kale koppies. Ze hadden gehuild toen hun haar in grote vlokken op de grond viel; je zag nog schone streepjes over hun wangen lopen. Maar de kleine meisjes stonden na een tijdje tenminste gewoon op om tussen de bedden door te rennen en door de ramen te kijken. Moeder Bloema had haar mand niet eens uitgepakt, op vragen gaf ze geen antwoord. Ze zat met de zoom van haar bloes in haar hand en verfrommelde die krampachtig. Geluid maakte ze niet. Over haar wangen stroomden alleen zonder ophouden de tranen.

Maira wist niet wat ze moest doen. Hoe moest ze haar moeder weer tot leven wekken? Ze zag er verschrikkelijk uit. Kaal!

'Mama... Het groeit wel weer aan.'

Moeder Bloema schudde haar hoofd.

'Maar, Mama...' Wat moest ze nou doen? Zo kende ze haar moeder niet. 'Over een jaartje heb je weer mooie haren.'

'Hou je mond toch, stom kind!' Elmo kwam naast haar staan. 'Daar is het toch helemaal niet om!'

'Wel!' zei Maira. Waar kon het anders om zijn? Haar vader kwam wel weer boven water en Falko...

'Falko is dood. Falko is dood, snap je dat niet? Jij bent echt te stom!'

'Hou je mond!' Maira werd woedend. Waarom zei hij dat? Het was niet waar. Het was niet waar!

Het was wel waar. Die versplinterde gitaar – dat kon niet goed afgelopen zijn. Het was wel waar: Falko was dood.

En haar moeder bleef daar maar zitten...

Maira stond op. Ze móést, ze hield het gewoon niet langer. Tussen de bedden door naar achteren. Daar was een badgelegenheid. Maar er was geen deur, alleen een gordijn. Zó kon ze niet! Elk moment kon er een man of een jongen binnenkomen!

Terug, langs mensen van wie ze de gezichten soms kende, langs vage bekenden die groetten, langs mensen die op hun rug in het niets lagen te staren. Alle vrouwen waren kaal en sommige hadden hun hoofd onder de lakens gestopt.

Ze moest naar buiten. Maar zó, zonder haar? Dat ging ook niet. Toen ze weer bij hun plek kwam, hield ze stil.

'Mama... mag ik een lapje, alstublieft? Voor mijn hoofd.'

Haar moeder grabbelde zonder te kijken in de mand en stak Maira met blinde ogen de gele zijde toe. Toonloos zei ze: 'Knip maar wat af.'

Die dure stof! Gisteren zou haar moeder dat nooit goedgevonden hebben! Maar gisteren was alles nog anders. Falko was er nog.

'Geef mij ook maar een stuk. En Kersja en Krasa.'

Maira dacht niet meer aan haar blaas. Even later bond ze de kleine zusjes een hoofddoek om. Ze zagen er lief mee uit, vooral Krasa – net een meesje. Het grootste stuk gaf ze aan haar moeder. Toen bedekte ze haar eigen hoofd. Het was glijerige stof, die niet goed bleef zitten. Ze bond de uiteinden strak onder haar kin.

'Zal ik hem bij jou ook omdoen, Mama?'

'Dat is goed,' zei haar moeder. Ze liet met zich doen alsof ze ook een klein meisje was. Maira vond het doodgriezelig. Ze was blij dat ze een goede reden had om naar buiten te gaan: haar overvolle blaas.

Ze kon alleen met kleine stapjes lopen. Niemand hield haar tegen. Buiten liepen mensen heen en weer met bagage. Er hadden nog veel meer mensen in de trein gezeten, maar die hadden hun haar nog.

Opeens merkte Maira dat er een hek tussen hen in zat, een dubbele omheining van prikkeldraad. Bij de doorgang stond een bewaker. Ze drentelde dichterbij. De man had een band om zijn arm, het was een Nederlander. Hij had bruine ogen en zwart haar, maar een witte huid. Een verrader.

'Wat ben je mooi met die doek.' Hij glimlachte. Maira lachte niet terug. 'Je lijkt wel een boterbloempje. Hoe heet je? Ik ben David. Mijn naam staat op mijn jasje.' Hij wees lachend naar een gele ster die op zijn jas zat genaaid. Er stonden zwarte letters op. 'Past mooi bij jouw hoofddoek.' Wat een idioot!

Maira draaide zich om. Die vent kon wel lachen en onzinpraatjes verkopen, maar hij liet haar er mooi niet door, en het was zijn schuld dat ze hier zaten. Nou ja, die van hem en zijn gaadzje-vrienden.

Er waren nog een paar barakken achter de hunne. Daarachter was weer een dubbel prikkeldraadhek, heel hoog. Maar tussen het hek en de laatste barak was een strook onkruid waar ze misschien ongezien kon neerhurken... Als er niemand naar buiten keek...

'Niet daar! Ze kunnen je zien!' Om de hoek van de barak keek een meisje naar haar. Van Maira's leeftijd of iets jonger, met een witte lap om haar hoofd geknoopt. Ze sprak hun eigen taal.

Ze wees schuin omhoog. Achter Maira's rug was een houten wachttoren, met een mannetje erin, en Maira zag ook de loop van een geweer schuin omhoogsteken.

'Je moet daar zijn. Aan het eind om de hoek. Daar staat een gebouwtje met – je weet wel.'

Maira stond haastig weer op – het ging nog nét. Het vreemde kind liep met haar mee.

'Ben jij ook vandaag gekomen? Wij kwamen met de trein. Helemaal uit Limburg. Daar wonen we. Wat zie je er gek uit. Heb jij geen gewone kleren?'

Om de hoek was inderdaad een toiletgebouwtje. Opgelucht ging Maira naar binnen. Toen ze eindelijk weer naar buiten kwam, stond het meisje er nog.

'We gaan naar het oosten, hè,' zei ze. 'Helemaal naar Polen, en daar krijgen we een boerderij voor onszelf en paarden. Dan moeten we aardappels telen voor het Duitse leger, maar dat is niet zo erg, wat vind jij? Ik dacht dat het erger zou zijn. Hoe heet jij?'

Wat een kwebbelkind, dacht Maira. Nog erger dan haar tante Lily.

'Maira,' zei ze kortaf. Ze liep naar de voorkant van hun barak.

'Ik heet Settela. Wij zitten in nummer 65. Ik vind het net een hele grote woonwagen, en jij? Maar dan zonder wielen.

Heb je de honden al gezien? Ze hebben hier hele grote lieve honden. Alleen zijn ze niet zo lief, zegt mijn vader. Ze moeten ons vangen als we weglopen. Maar wij lopen niet weg want een eigen boerderij is niet zo erg voor een tijdje. Vind ik niet tenminste. En jij? Maar ik wil ook een eigen hond, een jonkie, en dan noem ik hem Falko.'

'Zo heet mijn broer.' Maira wilde eigenlijk niet meedoen aan het gesprek. 'Maar hij is dood.'

'O!'

'Doodgeschoten door een Duitser en die Hollandse polities keken gewoon toe. Je bent achterlijk als je op een boerderij hoopt. Met paarden en een hond nog wel!'

Falko, dacht ze. Falko, Falko. Misschien dat de pijn weg ging als ze het heel vaak dacht.

Bij de ingang van de barak bleven ze staan, Settela ook. Maira wilde niet weer naar binnen. Al die mensen... die bedompte lucht...

Iemand met een band om de arm kwam voorbij. OD stond erop.

'Wat doen jullie daar? Hup, naar binnen.'

'Maar we moeten nodig,' zei Settela snel. Ze trok Maira mee terug in de richting van het sanitairgebouwtje. Ze was wel snel voor een kletskous.

Maira probeerde iets te zien van de rest van het kamp. Aan de andere kant van het prikkeldraad waren nog meer toiletten, en daarachter grote barakken waar gehamer en gebrom uit kwam. Het leken wel fabrieken. En opeens zag ze, heel in de verte, een stuk van een woonwagen. Abrupt bleef ze staan.

'Kijk!'

Je kon maar een stukje zien, een raam met een luik en een stukje van de trap, maar Maira wist zeker dat het geen barak was, maar een woonwagen.

'Weet ik allang,' zei Settela. 'Toen ze ons hier naartoe

brachten kon je ze beter zien. Er zijn een heleboel woonwagens, allemaal mensen zoals wij, maar die anderen hebben ze niet kaalgeschoren.'

Maira ging een paar stappen naar links, en weer terug, en toen een paar stappen naar rechts. Zo kon ze een groter stuk van de wagen zien. Er stond een andere wagen voor, maar Maira wist toch bijna zeker dat ze die ene kende. Er hing iets uit het raam, een veeg blauw en geel. Zou dat de lappendeken van tante Lalla niet kunnen zijn? Maar het was te ver om het zeker te weten. Misschien verbeeldde ze het zich maar.

'En ik had helemaal geen luizen!' zei Settela.

'Ik ook niet,' zei Maira. 'Wij allemaal niet.' Ze had haar gedachten niet bij luizen. Misschien was oom Wasso hier. Dan was alles niet zo hopeloos. Oom Wasso was de broer van haar vader en die zou wel voor hen zorgen. Ze haalde diep adem. Ja, als oom Wasso hier was, kwam het misschien nog goed. Niet helemaal goed, helemaal goed kwam het nooit meer zonder Falko. Maar oom Wasso en tante Lalla zouden tenminste kunnen zorgen dat haar moeder weer normaal deed.

'Omdat ze denken dat alle zigeuners luizen hebben, daarom hebben ze het gedaan,' zei Settela.

Zigeuners, dacht Maira. Waarom gebruikte iedereen tegenwoordig dat gaadzje-woord?

Ze liepen voorbij het toiletgebouwtje naar de afrastering. Dit was de achterkant van het terrein. Aan de andere kant van de hekken groeiden wat zielige boompjes en struiken. Verderop was weer een andere wachttoren. Over rails die Maira nog niet had gezien kwam een rij kiepkarretjes aanrijden. Er zaten bruine zakken in. Kolen? Aardappels? Ze werden afgeladen en op kruiwagens naar een bunker buiten het kamp gebracht. Een zak viel eraf en ging open. De werkers die bij het karretje hoorden begonnen over de grond te kruipen.

'Misschien zijn het aardappels,' zei Maira. Ze had honger.

Dat was beter dan dat holle gevoel in haar hart. 'Ik barst van de honger!'

'Maar je kunt ze niet rauw eten, dan word je ziek,' zei Settela – alsof ze erbij hadden kunnen komen. Alsof ze voorbij die wachttoren zouden durven! Alsof het belangrijk was.

Maar haar maag vond aardappels wel belangrijk. En de mannen die daar rondkropen ook.

De bewaker in de toren keek toe hoe ze naar aardappels grabbelden. Die mannen waren bang, dacht Maira, het waren gevangenen. Twee andere bewakers, op de grond, schreeuwden en wezen. Het waren geen Duitsers, ze droegen een overal en geen geweren. Hoe dan ook, de uitgang werd streng bewaakt. Daaraan kon je zien dat Settela's boerderij niet bestond.

Settela voelde aan Maira's hoofddoek.

'Wat een mooie stof!'

'Ik had liever mijn haar nog,' bromde Maira. En mijn broer, dacht ze. Die Settela was haar te vrolijk. 'Die stof heeft mijn moeder eigenlijk nodig om bloemen van te maken. We moeten geld verdienen tot we mijn vader weer hebben gevonden. Die is... hij wacht tot hij ons kan komen halen.'

Maira knikte, zo zeker wist ze dat opeens. Natuurlijk, haar vader wachtte ergens op hen, ergens waar de Duitsers hem niet zouden vinden. Intussen zou hij een heleboel mooie nieuwe violen maken. En als die rotkerels dan dachten dat ze iedereen hadden opgepakt, zouden ze niet meer goed opletten en dan kon vader Django zijn gezin komen halen.

'Maar we blijven hier toch niet voor altijd,' zei Settela. 'Dit is maar voor even. Er komt een trein om mensen op te halen.'

'Jij denkt zeker dat je alles weet,' snauwde Maira.

'Toch is het zo,' zei Settela. Ze voelde aan haar eigen hoofddoek. 'Na Pinksteren gaan we... Hé, denk je dat je moeder nog een stukje van die mooie stof wil afstaan? Dit is maar een stuk laken.'

Maira wachtte; ze had het gevoel dat Settela als ze geen antwoord gaf, gewoon door zou babbelen. Dat werkte bij tante Lily ook zo.

En jawel. 'Nou ja, in Polen groeit mijn haar zó weer aan. Mijn haar groeit heel snel. Ik zelf ook. Mijn moeder zegt dat ik groot ben voor mijn leeftijd. Ik ben negen en jij?'

'Twaalf.' Negen pas? Net als Kersja! Maira begon terug te lopen naar de ingang van de barak.

'Dag boterbloempje!' riep de man bij het prikkeldraad. 'Dag madeliefje!'

'Niks terugzeggen,' zei Maira. 'Die gadzjo is niet goed bij zijn verstand.'

Tegen de avond kwamen er mannen met banden langs de bedden en hielden inspectie, onder toezicht van een Duitser. Het was op de meeste bedden een zootje, want de mensen hadden al hun bezittingen uitgespreid om het idee te hebben dat ze toch nog een beetje thuis waren. Uit de mand waren tot Maira's opluchting een gewone rok en bloes voor haar tevoorschijn gekomen. Nu liep ze tenminste niet meer helemáál voor gek. Bloema Meinhardt was niet zo stom geweest om haar goud en haar gereedschap in het oog te laten lopen. De tangen zaten diep weggestopt in de voering van de regenjas, bij de zilveren rijksdaalders die de moeder van Liesje hun had gegeven. Bloema had reepjes van de doek gescheurd en de tangen erin gewikkeld om te zorgen dat ze niet rammelden.

Maar ze werden toch ontdekt. De jas was te zwaar geworden voor een gewone regenmantel. Maira had net zo'n zware frons tussen haar ogen als haar moeder toen ze zag dat de bewaker de jas meenam. Hij lachte naar Maira en toen herkende ze hem. Het was de verrader die David heette.

'Maak je geen zorgen, boterbloempje,' zei hij. Maar Maira lachte niet terug.

Hoe durfde hij! Pakte hun alles af – hun wagen, haar vader en haar broer, hun haren, plus de enige manier waarop ze zonder vader Django aan de kost zouden kunnen komen – en dan nog slijmen ook!

Maar toen haar boosheid zakte, begon Maira weer bang te worden. De wereld was gek geworden. En in een wereld die zich niet meer aan de regels hield, kon je niet weten wat er nog meer voor verschrikkelijks zou gebeuren.

Toen de kleintjes sliepen, praatte ze er zachtjes met haar moeder over.

'Wat gaat er met ons gebeuren, Mama?'

Haar moeder schudde haar hoofd.

'Niet veel goeds. Hoor eens, Maira, ik reken op jou, hoor. Jij hebt je nooit op je kop laten zitten – laat je nou ook niet op je kop zitten, hoor! Die Duitsers – ze hebben het recht niet. Als je kunt... Hoe dan ook, ik reken op je.'

'Ik snap het niet,' zei Maira ongerust. Waarom praatte haar moeder zo? Waarom juist tegen haar? Waarom niet tegen de grote jongens?

Haar moeder pakte haar beide polsen beet. Ze dwong Maira haar aan te kijken. Haar sterke handen knepen hard; Maira kon geen kant op. Ze wilde kermen, maar haar moeders blik hield haar tegen.

'Jij staat niet op hun lijst,' zei moeder Bloema. 'Wat er ook met ons gebeurt – jij staat niet op hun lijst.'

'Ja, Mama,' zei Maira. Ze had geen idee waarom haar moeder daar zo op hamerde. Lijst of geen lijst, wat maakte dat voor verschil?

Bloema Meinhardt ontdekte haar zus Toetela pas op woensdagochtend, toen ze zich ging wassen. Ze had de vorige avond met een deken een afscheiding gemaakt zodat ze zich op hun bed konden terugtrekken zonder dat iedereen die langsliep hen kon zien, en misschien kwam het daardoor. Toetela en haar man Tsjavolo waren op dinsdag al vroeg het kamp binnengekomen, met een andere trein.

Ze kwamen bij elkaar op het bed van moeder Bloema en haar dochters. Ook haar broers stonden zwijgend tegen het bed geleund. Raar, vond Maira. Anders was er altijd eten, en muziek, en gelach en geschreeuw. Nu zaten ze maar stilletjes op één bil, met niks te doen. Vroeger hadden ze bijna altijd samen gereisd, maar nu voelde Maira zich verlegen. De neven Nonnie en Zonzo hingen tegen een beddenstijl aan de andere kant van het nauwe gangpad. Echte mannen waren het nu. Maira dacht aan Falko's versplinterde gitaar. Vroeger had hij altijd met de neven samen gespeeld. Had Zonzo zijn trekharmonica mogen houden?

'Paarden weg, woonwagen weg!' zei oom Tsjavolo. 'De schoften!' Hij nam zijn hoed af en krabde zijn kale schedel. 'Allebei onze paarden! Ik zou ze wel...'

Tante Toetela legde haar hand op zijn arm. 'Er zijn ergere dingen,' zei ze met een knikje naar Bloema.

'Maar...'

'Die arme Falko,' zei Toetela nadrukkelijk.

Kersja begon te huilen. Oom Tsjavolo hield geschrokken zijn mond.

'Maar hopen dat Django goed is weggekomen,' zei tante Toetela. Ze nam de arm van haar zus en drukte hem stevig tegen zich aan. 'Maar hij is een slimme jongen, die Django van jou. Die laat zich niet zomaar vangen.'

Maira grinnikte even omdat haar vader een jongen werd genoemd. Toen hield ze geschrokken op. Lachen kon toch niet als je broer net was gestorven!

'Ik was het niet vergeten,' zei oom Tsjavolo. Zijn gezicht was donkerrood. 'Het spijt me, Bloema, zo bedoelde ik het niet.'

Maira's moeder deed haar lippen van elkaar en trok haar ogen even tot spleetjes. Een glimlach werd het niet. Maar boos was ze ook niet.

'Ik zou zo graag weten hoe het met de rest van de familie is,' zuchtte tante Toetela.

'Onze ome Kori is hier ook,' zei moeder Bloema. 'En de dochter van Haimo Schattevoet.'

De dochter van Haimo Schattevoet! Dat was Patsja, die Falko's liefje was geweest. Maira keek om zich heen. Ze hoopte maar dat haar moeder niets had gezegd. Daar zou Patsja alleen maar verdrietig van worden. Maira wist zeker dat Patsja in het geheim nog van Falko hield.

'Verder heb ik niemand gezien,' zei haar moeder.

'Ze zeggen trouwens dat jouw schoonmoeder is gepakt.' Tante Toetela sloeg een kruis. 'Dotsji zat in de stad, ze hielp mensen onderduiken. Ze kent zoveel boeren, hè.'

'Dotsji Rosenberg? Maar hier is ze niet,' zei oom Tsjavolo. 'Misschien is ze al naar Polen.'

Tante Toetela maakte weer een kruisteken. Maira werd er zenuwachtig van.

'Oom Wasso en tante Lalla zijn er wel,' zei Maira. 'Ik heb hun wagen zien staan aan de andere kant van het kamp.'

'Praat geen onzin, Maira,' zei haar moeder.

'Nee, het klopt,' zei neef Nonnie. 'Ik zag ook wagens toen we uit het badhuis kwamen. Alleen de paarden zijn er niet bij. Ik zag wel waslijnen met was en dekens.'

'De lappendeken van tante Lalla,' zei Maira koppig. 'Die gele met blauw. Echt waar.'

'Misschien hoeven zij niet weg,' zei tante Toetela.

'Ik kan het niet geloven,' zei moeder Bloema. 'Wasso, zo dichtbij?' Maar Maira zag aan haar ogen dat ze het al begon te geloven. Er glom hoop in. Ze reikte over het bed heen en trok Krasa naar zich toe. Ze knuffelde haar. Maira kon wel huilen van geluk. Haar moeder werd weer gewoon!

Krasa worstelde zich los.

'Nou!' zei ze. 'We spelen wagen en ik was de moeder.' Toen lachte moeder Bloema. Heel even, maar het was een echt lachje.

Ach, dacht Maira, ze zou de tijd hier wel doorkomen. Nu ze familie hadden gevonden leek het al minder erg, en het was toch niet voor altijd.

Aan grootmoeder Dotsji in Polen dacht ze niet, en aan Falko ook niet meer.

Nu, nooit

18 - 19 mei 1944

Maira liep landerig de barak uit. Ze had met haar zusjes op bed zitten zingen, en ze was de barak van voor tot achter en terug doorgelopen, tot ze Patsja Rosenberg had ontdekt. Ze scheen getrouwd te zijn, want ze had een kind aan haar borst en zat zachtjes te zingen. Maira was voorbijgelopen en had gedaan alsof ze haar niet zag. Stomme Patsja! Hoe kon ze Falko nu al vergeten zijn!

Ze hadden maar weinig bewegingsvrijheid. Hun stuk van het kamp was van de rest gescheiden omdat het de strafafdeling was. Alleen zaten de mensen van de weg er niet voor straf – ze hadden ook niks gedaan. Quarantaine werd het genoemd – Maira begreep niet wat dat betekende. Het was saai hier, en door de verveling kreeg ze nog meer honger dan ze al had. Dunne aardappelsoep met een halve wortel erin was toch geen maaltijd! Maar meer hadden ze niet gekregen de vorige avond. En 's ochtends pap die én klonterig, én waterig was; dan moest je toch wel een héél slechte kok zijn, dacht Maira.

Ze deed of ze naar het toilet ging en zat een tijdje te zitten totdat iemand aan de deur begon te rammelen. Ze maakte een rondje achter de barakken langs. Het rook hier lekkerder, misschien door de jonge boompjes aan de andere kant van de hekken. Maar de soldaat in de wachttoren – ze zag aan de beweging van zijn geweerloop dat hij haar in de gaten hield – maakte haar zenuwachtig. Snel sloeg ze de hoek om. En toen zag ze iets geks. Ze bleef meteen stilstaan, trok zich terug achter de muur en gluurde om het hoekje.

Aan het andere eind van het gebouw stond haar moeder. Ze praatte met een man van de Ordedienst. Het was dezelfde man die Maira 'boterbloempje' had genoemd, de rotzak die haar moeder de tangen en het geld had afgepakt. Maar waarom hield haar moeder haar hoofd zo tussen haar schouders getrokken? Waarom stond ze gebogen, alsof ze smeekte, alsof ze bedelde? En waarom – Maira perste haar kiezen op elkaar toen ze het zag – waarom bood moeder Bloema die man in hemelsnaam haar gouden oorringen aan?!

Maar de bewaker wilde ze niet hebben. Hij legde zijn hand om Bloema's vingers en sloot ze. Hij glimlachte erbij en mompelde iets.

'… beter gebruiken…' verstond Maira. Maar daarna vertrok zijn gezicht en hij zei luid: 'Maak dat je binnenkomt! Wat denk je dat het hier is, een vakantiekamp?'

Een andere bewaker kwam aanlopen, een Duitser. Bloema Meinhardt keurde hem geen blik waardig. Ze rechtte haar rug en ze liep als een koningin naar binnen. Maar Maira hoorde haar een lelijk woord roepen in hun eigen taal. Ze grinnikte. Zo kende ze haar moeder weer!

Ze wachtte tot de man om de hoek verdween en toen nog een beetje langer, en ging toen zelf ook de barak in.

Ze borrelde van nieuwsgierigheid, maar ze wist dat ze niets moest vragen. Zo'n brutaliteit zou haar moeder afstraffen door juist niets los te laten. Dus duwde Maira haar nagels in haar handpalmen en kneep haar lippen op elkaar. Ze ging naast de zusjes zitten en leerde ze figuurtjes maken met een wollen draadje tussen hun vingers. Kop-en-schotel, stropdas, parachute… Maira deed of ze niet merkte dat haar moeder toekeek, haar ogen donker van zorgen. Ze deed of er niet langzaam een knoop kwam in haar lege maag. Ze deed ook of ze de onrust niet opmerkte, die onder de bewoners van de barak ontstond toen de schaduwen lengden en het donkerder werd in de barak. Er hing iets in de lucht, voelde Maira. Kon het een transport zijn? Nee, Settela had gezegd dat er een trein zou komen. Maar misschien was er van dat hele Polen-verhaal niets waar. Waarom zouden anders die woonwagens hierheen zijn gebracht? Nee, dit was gewoon een verzamel-kamp. Een werkkamp. In al die lange loodsen aan de andere kant van het hek werd met veel lawaai gewerkt... Misschien dat ze die Jodenmensen wél hiervandaan naar het oosten brachten. Die werkten immers zo graag voor de Duitsers? Maar mensen van de weg lieten zich niet zomaar wegsturen. Daar waren ze te trots voor.

Hoe meer Maira zo tegen zichzelf redeneerde, hoe strakker de knoop in haar buik zich aantrok. Ook op de andere bedden werd het onrustig. Kinderen voelden het en dreinden, moe-ders voelden het en snauwden, vaders voelden het en deelden klappen uit. Grote jongens raakten aan het vechten – Elmo was er ook bij.

De sirene voor het eten klonk, maar Maira kon zelfs bijna niet eten. De knoop had de plaats van de honger ingenomen. Krasa zeurde, haar moeder snauwde, Kersja huilde...

Ze moesten zich gaan wassen, en dat gaf even afleiding, maar zodra ze terugkwamen in de barak voelde ze het weer: de zenuwachtige angst van mensen die wisten dat er iets te gebeuren stond, maar niet wisten wát.

'De mannen hebben niets meer te roken,' zei haar moeder. 'Daar komt het door.' Maar Maira merkte dat ze het zelf maar half geloofde.

Manito en Elmo, die sinds hun aankomst elke smoes aan-grepen om met de neven rond te hangen, kwamen aanzetten – Elmo met een schram op zijn voorhoofd. Ze kwamen bij hun bed hangen, liepen weer weg. En kwamen weer terug en gingen weer weg. Op die manier zou Maira echt niet in slaap vallen!

De avondsirene klonk, en nu moesten de jongens wel op hun bed aan de andere kant van de barak blijven. Maar slapen kon Maira nog steeds niet. Want in het donker begonnen de woorden van haar moeder door haar hoofd te spoken: Wat er ook met ons gebeurt – jij staat niet op hun lijst. Wat betekende dat? Ze zouden toch wel allemaal bij elkaar blijven? Als er toch een trein zou gaan, als ze toch mee moesten, dan zouden ze toch wel samen gaan? Ze viel in slaap, werd weer wakker, voelde om zich heen. Was iedereen er nog? Ja, Krasa ademde luid met haar mond open en Kersja's adem rochelde, omdat ze een snotneus had. Haar moeder was nog op; ze zat op de rand van het bed en leek bezig iets te naaien. Hoe gewoon dat werkje ook leek, het stelde Maira niet gerust. Want haar moeder zat te naaien in het donker...

Toen ze de volgende ochtend wakker werd, leek het alsof ze niet geslapen had. Ze had de hele nacht haar moeder zien zitten, bezig zakken te naaien waar ze allemaal in moesten. Daarna naaide moeder Bloema de zak boven hun hoofd dicht. Maar voor Maira maakte ze niet zo'n zak. 'Jij moet zelf maar lopen,' had ze gezegd – in Maira's droom.

Er was ook een tunnel geweest waar ze doorheen moest, met daarachter de hoge blauwe lucht – maar daarvan kreeg ze maar een klein stukje te zien, omdat de tunnel zo lang was. En toen opeens kwam er een trein voorbij, de andere kant op. Hij reed heel langzaam, maar Maira kon er toch niet op klimmen, omdat de treden te hoog zaten. En haar moeder stond voor een raampje en glimlachte, en zwaaide, en zei: 'Jij kunt zelf lopen.' Maira rilde toen ze eraan terugdacht.

In het daglicht vervlogen die dromen gelukkig snel. En ook de angst van de vorige avond was verdwenen. Sommige mensen leken zich er een beetje voor te schamen. Tante Toetela lachte hard en overdreven – opgelucht misschien. De dag begon zoals de voorgaande. Ergens hoorde Maira zelfs iemand zingen. Ze moesten opruimen en de barak schoonmaken – dat was prettig, zo kon je je geen nare gedachten in je hoofd halen. En daarna zocht Maira Settela op en slenterden ze samen naar het dubbele prikkeldraadhek aan de zijde van het kamp.

Daar keken ze een tijdje naar de mensen die de werkplaatsen in en uit liepen. Gaadzje natuurlijk, Jodenmensen. Hun gezichten zagen er gewoon uit, niet bang of ongerust. Bijna alsof ze gewoon aan het werk waren. Bijna alsof er geen prikkeldraad om het kamp stond.

Maira liep langs het hek. Ze werd onrustig van dat prikkeldraad. Mensen van de weg konden zo niet leven. Ze vond het punt waar ze tussen de barakken door kon kijken naar de plek waar de wagens stonden. Tante Lalla's deken hing niet meer buiten, maar Maira dacht toch de wagen te herkennen.

'Wat doe je?' vroeg Settela.

'Ik kijk of ik mijn nichtjes zie, Foeksa en Moezla. Foeksa en ik zijn beste vriendinnen.'

'Nou ja, zij zitten daar opgesloten en wij hier, hè. Maar ik wil ook best je vriendin zijn, hoor.'

Maira gaf een trap tegen het hek. De draad zong en haar schoen bleef aan het prikkeldraad hangen. Woedend rukte Maira hem los. Ja, opgesloten! Maar goed dat haar vader hier niet was. Die had het nog geen twee dagen uitgehouden. En Falko – die had een hart als een vogel, had haar vader altijd gezegd.

'Mijn broer had een meisje,' zei ze. Het hoefde nu toch niet meer geheim te blijven.

'Welke – die... ene?' vroeg Settela.

'Ze is ook hier. Ze heeft nu een kind, en ze weet het niet eens, van Falko.'

'Je moet niet over hem praten,' zei Settela. 'Het is niet goed om zo te praten.'

Maira knikte. Settela had gelijk, ze mocht niet meer over Falko praten. Gisteravond had ze niet eens aan hem durven denken, bang dat hij het zou voelen, waar hij ook was. Dat hij er kregel van zou worden. Dode mensen hielden er niet van als de levende zich met hen bemoeiden. Over Falko zou niet meer worden gepraat. Maar vergeten zou Maira hem niet, nooit.

'Misschien komt mijn vader ons vandaag halen,' zei ze. Settela lachte. 'Vast! Die springt zó over die hekken heen!'

Maira werd kwaad, maar ze snapte wel dat Settela dacht dat ze gelijk had. Settela kende Maira's vader niet. Toch liep ze boos weg. Dat kind was veel te eigenwijs voor haar leeftijd.

Terug in de barak – het rook er niet meer zo vies als gisteren – ging ze bij haar moeder en tante Toetela zitten, die over vroeger zaten te praten. Moeder Bloema keek Maira plotseling aan.

'Die verhalen moet je nooit vergeten,' zei ze. 'Al word je nóg zo oud! Denk je erom? Je moet alles onthouden, alles.' Maira rilde onder haar doordringende blik. Haar moeder deed zo vreemd sinds dat met Falko was gebeurd! Ze stond weer op. Hier voelde ze zich ook niet op haar gemak. Ze wist niet waar ze heen moest met zichzelf. Ze was gewend hele dagen te lopen. Zelfs het laatste jaar had ze nooit lang in huis kunnen blijven, waar het benauwd en bedompt was. Als het maar even kon was ze met de jongens mee op strooptocht gegaan. Maar hier kon ze alleen maar zitten, staan en liggen. Zelfs haar handen hadden niets te doen.

Dan maar weer naar buiten. Weer zocht ze de plek bij het hek op waar ze tussen de barakken door kon kijken. Kon ze nou maar gewoon naar Foeksa toelopen! Opeens kneep ze haar ogen half dicht. Tante Lalla! Het was maar een klein figuurtje in de verte, maar tante Lalla hinkte omdat ze als kind met haar hiel onder een trein gekomen was. Niemand liep zo- als zij, het was echt tante Lalla!

Maira wilde fluiten, het fluitje van haar familie, maar ze hield zich in. Tante Lalla zou haar nooit kunnen horen van zo ver weg, en met dat gebonk en getimmer van de werkplaatsen tussen hen in. Ze kon zich niet bedwingen en zwaaide. Tante Lalla zag haar natuurlijk niet. Maar het was heerlijk dat ze hier waren! Zie je wel, niks treinen – dit was gewoon een kamp! Ze kon tante Lalla's gestoofde aardappels bijna ruiken, met krabbetjes en uien en bietensla...

Toen zag ze rechts bij de ingang een stel mannen aankomen. Twee Duitsers, en twee mannen van de ordedienst. De gekke bewaker die David heette was er ook bij. Hij droeg iets onder zijn arm.

'Hier komen!' riep de langste Duitser. Hij wenkte haar!

Opeens voelde Maira alle zenuwen van de vorige avond in één keer terugkomen.

'Nu!'

Maira zette het op een draven. Ook Settela kwam van ergens achter de barak tevoorschijn en toen ze Maira zag hollen, begon ze ook te rennen. De lange Duitser bleef buiten bij de deur staan, de andere ging naar binnen. De gekke bewaker liep om de barak heen. Settela glipte nog net langs de lange Duitser, maar Maira kon er niet door. Ze bleef besluiteloos staan. Hij rook naar sigaretten en iets zoetigs. Langs hem heen keek ze naar binnen.

Een van de mannen in de overals liep langs de bedden en klopte tegen de stijlen.

'Sta op! Vooruit!' Haastig schoten mensen te voorschijn vanachter de dekens en de lakens die ze hadden opgehangen. 'Hoeden en petten af!' riep de man van de ordedienst. 'Een beetje respect!' De mannen deden haastig wat hij vroeg.

De Duitser deed een paar stappen naar voren. Hij had een

lijst in zijn hand. Hij wenkte Maira ongeduldig en ze liep langs hem heen.

'Opletten!' zei hij. 'Als je je naam hoort, meld je je.' Hij gaf de lijst aan de man in overal. Die maakte zich lang en begon luidkeels de lijst voor te lezen.

Achter Maira klonk de fluit van een stoomtrein. Dus het was waar! Door de barak ging een geroezemoes. Opeens was het gangpad vol mensen. Maira kon er nu helemaal niet meer door. Het was ineens een enorm gedrang en geschreeuw.

'Koppen dicht!' riep de Duitser. Hij drong zich door de massa tot hij in het midden van de barak stond. 'Als de lijst is afgewerkt, pak je je spullen in en maak je je klaar om te vertrekken.'

De man met de band om zijn arm ging weer door met voorlezen. Het gebrul van de Duitser had weinig effect – na elke naam zwol het geroezemoes aan, om dan weer plaats te maken voor gespannen zwijgen. De mensen die hun naam hoorden, bleven niet naast hun bed staan, maar begonnen meteen hun spullen bij elkaar te graaien. Mannen probeerden bij hun vrouwen te komen, moeders bij hun zoons. Maira zag geen kans haar moeder te bereiken in de chaos. Nou ja, veel spullen had ze toch niet – niets eigenlijk. Haar moeder zou de mand wel inpakken. Eigenlijk was ze opgelucht. Nu ging het dus gebeuren. Dat was beter dan de martelende spanning van de vorige dag.

De Duitser deelde een paar klappen uit met de kolf van zijn geweer. De mensen van de weg hielden op met schreeuwen. Dreigend keken de mannen naar de Duitser met zijn lijst. Maar ze deden niets, konden niets.

Maira luisterde naar de namen. Namen die ze niet kende. Namen die ze goed kende.

'Leimbergen, Adolf.'

Dat was oom Tsjavolo.

'Meinhardt, Johanna.'

Tante Toetela .

'Meinhardt, Adolf.'

'Hier,' klonk de stem van neef Nonnie.

'Meinhardt, Eduard.'

'Ja!' riep neef Zonzo brutaal.

En hun eigen namen.

'Meinhardt, Elizabeth.'

Haar moeder.

'Meinhardt, Elizabeth!'

'Ja, hier. Ben je doof, man?'

'Meinhardt, Paulus.'

'Ja hoor,' zei Elmo.

'Meinhardt, Reinhard.'

Manito's antwoord ging verloren.

'Meinhardt, Anna.'

Dat was Kersja! Ze namen Maira niet mee!

'Meinhardt, Johanna.'

Maira wilde zich tussen de mensen door wringen. Maar iemand greep haar van achteren bij de pols en rukte haar terug naar de deur. Door het gewoel kon ze haar moeder en broers niet zien.

'Jij niet,' zei een stem die ze kende. 'Jij gaat naar het toilet. Er is niemand, ik heb het net gecontroleerd.'

Gekke David!

'Maar... mijn moeder...' Maira wilde zich losrukken. Ze moest naar haar moeder, naar Kersja en Krasa! Kersja was zo gauw bang en Krasa was juist niet bang genoeg. Zonder hun grote zus zouden ze... En Maira wilde niet alleen achterblijven! Maar gekke David liet niet los.

'Wacht tot vanavond. Kijk in de stortbak. Sterk zijn, boterbloem.'

Toen hoorde Maira opeens boven het rumoer uit haar

moeder zingen. Zingen? Nu? Na wat er met Falko was gebeurd? Juist nu de trein kwam? Maar moeder Bloema deed het, niet bijzonder luid, maar wel heel goed verstaanbaar. Een bekend lied was het, in hun eigen taal, maar met andere woorden, steeds dezelfde: 'Mijn beekje, mijn stroompje, water – stroom! Voeg je bij je vader, de zee. Mijn beekje, mijn stroompje, water, stroom! Voeg je bij je vader, de zee...'

'Mond dicht!' brulde de Duitser. 'Ik wens orde hier!'

Maira werd aan haar pols naar achteren gerukt. Ze verzette zich niet. Maira betekende stromend water. Het lied van haar moeder was een opdracht voor haar. Ze kreeg een duw en was buiten.

Terwijl de gekke David – maar was hij wel gek? – zich breed maakte in de deuropening, liep Maira gebukt langs de ramen van de barak. Wat had hij gezegd? Naar de toiletten. Tussen de loodsen door zag Maira de trein het kamp binnenrijden, ze hoorde de remmen krijsen, zag de wolken stoom. Van verder weg hoorde ze geschreeuw en gejammer en misbaar. Welke gevangenen durfden daar zo tekeer te gaan?

Toen ze verder liep, voorbij de trein, zag ze van langs het hek bij de aardappelloods een rij mensen aankomen. De mannen waren kaal (maar sommigen hadden hoeden op) en liepen te gebaren en te schelden. De vrouwen hadden lappen om hun hoofd. Ontluisd en kaalgeschoren – dit waren mensen van haar volk! En toen ze beter keek: tante Lalla! Ze had de blauwgele deken om zich heen geslagen en hield een jongetje bij de hand – dat moest Loelo zijn. En daar, Moezla, Foeksa! Daarachter Moro en Mertzo met hun instrumenten. En oom Wasso achteraan met een dekenkist op zijn rug. Haar grootmoeder zag ze niet. Was Dotsji Rosenberg echt al eerder gepakt? Was ze al naar Polen?

Bijna had Maira zich tegen het prikkeldraad gegooid, geschreeuwd. De broer van haar vader was hier, dat betekende bescherming, dat betekende...

Maar toen riep iemand achter haar gedempt: 'Weg jij! Rennen en niet omkijken!'

Maira aarzelde. Uit de barak naast haar klonken angstige stemmen, vragen, gegil. Ze kon haar oren er niet voor sluiten.

'Ik wil Maira!' hoorde ze duidelijk Krasa's stem. Of verbeeldde ze zich dat?

'Rennen, nu!'

Maira rende. Ze schoot de hoek van de barak om, ging toen rustig lopen want uit de wachttoren kon ze nu gezien worden. Zo kalm als ze kon ging ze het sanitairgebouwtje binnen. Haar hart bonsde bijna uit haar borst, maar ze ging een van de hokjes binnen – nee, niet de deur op slot doen – en kroop op haar hurken op de pot.

Nu wachten tot het donker werd.

En dan?

Alleen in dit kamp blijven, zonder haar moeder en tantes en ooms? Zonder Kersja en Krasa en Foeksa, zonder haar grote broers?

Nee! Dan liever met die trein mee! Zó erg kon Polen toch niet zijn?

Maar haar moeder had gezegd: ik reken op je. Haar moeder, die het beter wist.

Alleen hier achterblijven? Nee! Dan liever ontsnappen en haar vader zoeken.

Ontsnappen? Maar hoe?

Wacht tot de avond. Kijk in de – in de wat?

Ontsnappen. Aan de Duitsers op de torens met hun geweren, over het dubbele prikkeldraad, door de gracht, nog meer hekken. Over de kale heidevlakte, met op elk veld, achter elke haag gaadzje die loerden naar een meisje zonder haar en zonder familie. En dan?

Nee! Maira sprong op de grond en beukte de deur van het

hokje open. Naar buiten, naar haar moeder! Niet alleen achterblijven, dat kon ze niet!

Ze rende naar buiten, door de nu onbewaakte doorgang, in
de richting van de werkloodsen. Daarachter zag ze de trein,
een stukje ervan, het perron vol mensen met koffers en pakken. Daar ergens zou nu haar familie zijn.

'Mama!' wilde ze roepen. 'Wacht op mij!'

Waarom deed ze het niet? Waarom sloop ze tussen de werkplaatsen door, vlak langs de wand, zodat ze niet te zien was
uit de wachttoren? Waarom liep ze gebukt, zodat de mensen
die in de loodsen aan het werk waren haar niet konden zien?
Waarom bleef ze aan het einde stilletjes staan, zonder het
perron op te rennen?

Het was een rare trein, van planken gemaakt, zonder ramen. De deuren stonden open. Er werden tonnetjes naar binnen gebracht. De mensen sjouwden zelf hun bagage, kwiek
en opgewekt, alsof ze zich op de reis verheugden. Waren zij
ook blij dat het wachten voorbij was?

Weer waren het de mannen met de armbanden die met bagage en zieke mensen sjouwden. Maira had intussen begrepen dat zij zelf ook gevangenen waren. Ze keek het perron af,
toen langs de wagons. Waar waren ze? De Duitsers keken op
het instappen toe, lijsten in hun hand. Iemand tekende iets
met krijt naast een deur. Een man tuurde door een camera
op een driepoot, alsof hij een vakantiereisje filmde. Maira
volgde met haar blik de richting van de camera. Ineens zag
ze iets wits in een deuropening. Was dat Settela's hoofddoek?
Het meisje merkte niet dat ze werd gefilmd, ze keek naar iets
op het perron. Daar rende een hond heen en weer. Maira deed
een stapje achteruit. Wat – of wie – zocht die hond?

Daar! Een eindje verderop herkende ze een slip van tante
Lalla's blauwgele deken. Het gezicht van haar tante was niet
te zien. Maar op het perron vlak ervoor – ja, daar stond moe-

84

der Bloema! Een man duwde haar de hoge wagon in, tilde Krasa op en propte haar in haar moeders armen. En meteen werden er nog twee mensen naar binnen geperst. Haar moeder probeerde nog om te kijken – er liepen een paar mensen langs en Maira zag het niet goed – en daarna was de deur al dicht. Hoe kon dat nou? Zo zaten ze in het donker! Dat kon je met varkens doen, maar toch niet met mensen!

Kersja, ouder dan Krasa maar gauwer bang, stond nog moederziel alleen op het perron. De broers waren nergens te zien. Maira probeerde te fluiten, – *Waar ben je, waar ben je?* – maar haar lippen waren te droog. Maira wist zeker dat haar zusje huilde. Iemand, geen familie, nam Kersja bij de hand en zette haar in een andere wagon. Wat zou Kersja een keel opzetten tussen die vreemde mensen. Maira beet op haar hand. Zij had daar moeten zijn, bij Kersja, zij moest toch op haar zusje passen!

Maar ze kwam niet in beweging. Een stem in haar hoofd hield haar tegen. *Laat je niet op je kop zitten, hoor!* hoorde ze. *Jij staat niet op hun lijst...* En nog iets had haar moeder gezegd. Gezongen: *Voeg je bij je vader.*

Haar moeder had gezorgd dat Maira's naam niet op een lijst terecht was gekomen. Haar moeder had met de gekke-niet-zo-gekke David gesmoesd. Haar moeder had haar naar haar vader gestuurd.

Ze hoorde het schuiven van deuren, het dichtslaan van grendels. Nu kon het nog, nu kon ze er nog heen rennen, schreeuwen: Ik ook, ik moet ook mee!

Maira haalde diep adem. Toen draaide ze zich om en sloop terug langs de barakken. Ze moest. Ze moest doen wat haar moeder haar had opgedragen. Ook toen ze het eigenlijk niet meer kon horen, dreunde het in haar hoofd: het dichtschuiven van de deuren, het dichtklappen van de grendels.

De langste nacht

19-20 mei 1944

Het duurde heel lang voor het donker werd. Eerst was Maira bang geweest, maar na een tijdje begreep ze dat er niemand zou komen. De barakken achter het dubbele prikkeldraad waren leeg. 's Ochtends was hier al schoon gemaakt. Misschien zouden er later nieuwe gestraften in dit deel van het kamp worden opgesloten, maar nu nog niet.

Het was moeilijk te bedenken wat ze moest doen. Daar had ze nog nooit eerder over hoeven na denken. Haar ouders wisten altijd wat er gedaan moest worden; die hadden gezegd wat ze van Maira verwachtten, of haar hun besluiten meegedeeld. Of zelfs dat niet eens, en dan had Maira gewoon afgewacht. Alleen moeten beslissen voelde heel raar. Het maakte haar een beetje zweverig, bijna duizelig. Of kwam dat van de honger?

Ze moest wachten tot het donker was en dan in de stortbak kijken – dat was natuurlijk die ijzeren bak waar het water uit kwam vallen als je aan de ketting trok. Maar als het donker was, zou ze niets meer kunnen zien, zelfs niet bij het licht van de schijnwerpers buiten. Ze luisterde scherp. Niemand in de buurt, dacht ze. Ze ging op de rand van de pot staan en reikte naar boven. Ze kon haar hand over de rand van de bak krijgen, maar niet erin. Stom van die David, dacht ze. Hij was natuurlijk groter dan zij. Wat er ook in die bak lag, ze zou het er niet uit kunnen vissen.

Toen voelde ze het. Iets zachts. Stof. Tegen de rand van de bak – die niet nat was – lag een zacht pakketje op een stangetje. Maira grabbelde het over de rand en het rolde eroverheen, eerst onzacht op haar gezicht en toen met een plof op de grond. Snel klom Maira weer naar beneden. Opnieuw luisterde ze, terwijl ze ongelovig naar het pakketje staarde. Dat was de regenjas van Liesjes moeder! Met daarin – maar dat kon niet! Haastig rukte ze het touwtje eraf en rolde de mantel uit. Ze voelde aan de zoom. Maar – hoe kon dat! De tangen! En nog meer... de rijksdaalders waarschijnlijk. En nog iets scherps... Een schaar? Kon dat haar moeders schaar zijn? Ze stak haar hand in de zak met het gat en grabbelde rond in de voering. Ze haalde alles tevoorschijn. Ja, de tangen, in repen stof gewikkeld, net als de schaar. En een hoofddoek met muntjes eraan, die haar moeder soms op feesten droeg. Nepmuntjes waren het, van geel koper, maar... het zag er een beetje anders uit dan eerst. Ze voelde aan de versieringen. Sommige munten leken zwaarder, en er zaten ook ringen tussen. Maira's adem stokte. Kon het zijn dat haar moeder echt goud tussen de goedkope munten had genaaid?

Dat was verschrikkelijk. Moeder Bloema had Maira het kostbaarste meegegeven dat ze had: haar toekomst.

Het was te erg om lang bij stil te staan. Ze rolde gauw de hoofddoek weer op en frommelde hem terug door het gat in de voering. Ook de tangen en de schaar stopte ze terug. Nu moest ze nadenken. Goed nadenken. Haar moeder en de gekke-niet-zo-gekke David hadden alles voorbereid. Nu moest zij tonen dat ze hun vertrouwen waard was. Nadenken!

Ze haalde zich de rand van het kamp voor de geest, hier vlakbij. Op de hoek stond de wachttoren met zijn schijnwerpers. Als ze hier naar buiten ging, was ze vanaf de toren te zien. De prikkeldraadhekken, de brede sloot... Het hele kamp was omringd door een wijde, kale heidevlakte, behalve juist in deze hoek. Aan de andere kant van de sloot waren nog twee prikkeldraadhekken, en daarachter waren boompjes geplant, en er groeiden struiken en onkruid – veel stond in bloei. Een klein meisje in een lichtbruine regenjas zou niet zo opvallen als ze langzaam door de begroeiing kroop. Misschien waren er zoeklichten. Maar als Maira heel stil en heel langzaam deed, hadden de Duitsers geen reden om die te gebruiken.

Allereerst moest ze door het prikkeldraad zien te komen. Ze had een tang om ijzerdraad mee te buigen en een tang die ijzerdraad door kon knippen. Met een tang in elke hand zou ze het prikkeldraad misschien de baas kunnen.

Daar zou ze lang mee bezig zijn. Het waren vier hekken. Prikkeldraad was dik. En ze moest het doen als de wachters niet goed opletten. Wanneer zouden ze slaperig worden? Niet aan het begin van de avond. Volwassenen gingen laat naar bed. De kans was groter dat ze zelf in slaap zou vallen. Door zou slapen. Nee, ze moest maar liever gaan als de wacht werd afgelost. Heel snel zijn.

Ook de sloot was gevaarlijk, wist Maira, nog gevaarlijker dan een rivier. Haar grootmoeder had haar ervoor gewaarschuwd toen ze in het westen van het land rondtrokken. Een dikke laag rottende plantenresten op de bodem maakte dat je voeten werden vastgezogen. Dan kon je niet meer bewegen, je werd moe en je kon zelfs verdrinken.

Maar Maira had paarden zien zwemmen. Het kon niet moeilijk zijn; alle dieren konden het. Je maakte schepjes van je handen en bewoog ze voor je borst heen en weer, je trapte met je benen naar achteren, en zo kwam je vooruit. Ze zou het alleen heel stil moeten doen. 's Nachts klonken alle geluiden harder.

De sloot over zwemmen dus. En dan?

Heel voorzichtig aan de kant kruipen. Nat zou ze zijn, en koud... En ze zou geen droge kleren hebben. Behalve als ze... ja! Ze moest voor ze het water in ging de regenjas weer oprollen en met het touwtje op haar hoofd vastmaken. Zo bleef hij droog.

Maar dat kon ook niet. Want haar bloesje was wit, haar moeder had het de vorige dag nog gewassen. Haar rok was donkerrood, ook niet handig, maar die was tenminste stoffig... Ja, dat was het! Ze moest allereerst haar kleren vies maken! De bloes, en ook de mooie gele hoofddoek, want die viel verschrikkelijk op. Zonder die hoofddoek had niet-zo-gekke-David haar nooit opgemerkt. Het was zulke mooie stof, zonde om die vuil te maken. Maar zonder voelde ze zich te kaal.

Voorzichtig sloop ze naar de deur en deed hem op een kiertje open. Ze gluurde naar de wachttoren. De soldaat daarboven stond een sigaret te roken en lette niet op het sanitairgebouwtje. Ze graaide wat stof van de grond en deed gauw de deur weer dicht. Nu een beetje water... druppel voor druppel liet ze het in de emmer lopen. Toen het stof modder was geworden, sloop ze terug naar het wc-hokje. Ze deed haar bloesje uit en doopte het in de vieze pap. Het duurde even, maar toen was het katoen overal goed vuil. Het bloesje was nu maar iets lichter dan de grond buiten.

Met de hoofddoek ging het niet zo goed. Maira had niet veel modder meer en die gleed van de gladde stof af als druppels van een eend. Er kwamen wel wat vegen en smeren op, maar echt door en door vuil werd de lap niet. Ze zou hem af moeten laten. Met een kaal hoofd naar buiten... nee, zo zou écht niemand haar mogen zien!

Wachten... Als ik Tatta vind, dacht ze, en hij vraagt hoe ik heb kunnen ontsnappen, dan kan ik dit niet vertellen. Wáár ik de hele dag heb moeten wachten, wáár ik 's nachts moest blijven zitten – dat zal ik nooit tegen iemand kunnen zeggen.

Zakte de zon al? Haar maag zat nog steeds vol angstige spanning, maar haar darmen rommelden. Daardoorheen hoorde ze maar steeds het geluid van deuren en grendels. Maar de trein was al uren geleden vertrokken, dat had ze duidelijk kunnen horen. De deuren en grendels zaten in haar hoofd.

Ze wist dat ze goed gekozen had. Ze had tenslotte precies gedaan wat haar moeder had gewild. Maar het voelde zo afschuwelijk! Dat die trein daar maar reed, steeds verder naar het oosten, steeds verder van haar vandaan. Dat ze niet wist waar ze haar moeder naar toe brachten. Dat ze, voor het eerst van haar leven, helemaal alleen was. In haar hart wenste ze dat ze wél op die lijst had gestaan. Dat haar moeder Elmo had uitgekozen om hun vader te gaan zoeken. Elmo, die een jongen was, en tenminste drie jaar ouder – ook al was hij dan niet erg verstandig. In haar hart vervloekte ze Krasa, die met haar handen op haar rug in het rond had staan kijken en haar moeder zo de kans had gegeven Maira buiten die lijst te houden. Zou ze haar jongste zusje ooit nog terugzien? En waar? Wáár bracht die trein hen heen?

Ze kreeg kramp in haar benen. Toch durfde ze haar voeten niet op de grond te zetten. Iemand zou onder de deur door kunnen kijken en haar benen zien. Maar ze ging zitten en strekte haar benen voor zich uit, zodat ze haar voeten tegen de deur kon zetten en tenminste even haar benen strekken. Ze hield het vol tot haar knieën begonnen te trillen. Toen hurkte ze maar weer op de wc-rand. Maar steeds vaker moest ze van houding wisselen en één keer gleed ze van de gladde rand op de grond. Haar schoen kwam met een doffe klap neer. Het leek wel alsof haar benen wilden dat ze ontdekt werd.

Eindelijk begon het te schemeren in het gebouwtje. Buiten klonk een sirene. Dat betekende dat het pas etenstijd was; de ramen waren zo klein dat het hierbinnen al vroeg donker werd. Maira probeerde zich te herinneren hoe laat de wacht op de torens werd afgelost. Ze had er niet op gelet. Wist zij veel dat ze moest ontsnappen!

Opeens verstijfde ze. Buiten hoorde ze Duits spreken. Het waren twee mannen, en ze bleven zo te horen onder het raam vlakbij haar staan.

'Sigaret?' vroeg er een.

'Graag.'

'Het ziet er naar uit dat het gaat regenen.'

Maar dat was die David weer!

'Ja, verdomme. En ik met mijn reuma – ik voel het nu al. Die vochtigheid 's nachts.'

'Ach, reuma. Had mijn arme moeder ook. Beroerd.'

'Vertel mij wat.'

'Kan ik iets voor u doen?' vroeg David.

'Nee,' zei de Duitser boos.

'Nee, natuurlijk niet. Ik kan uw wacht niet van u overnemen. Niet dat iemand zou merken dat ik niet in mijn bed lag.'

'Mm,' zei de Duitser. Maira hield haar adem in. Wat deed die gekke David nu?!

'Strak geregeld hier allemaal. Lijkt me voor jullie ook niet makkelijk.'

'Als ik het geweten had...'

'Ja. Nou, als ik toch eens je wachtbeurt kan overnemen, laat het me dan weten. We moeten elkaar allemaal een beetje helpen hier. De commandant laat niet met zich spotten.'

De Duitser gromde en dempte zijn stem. Maira dacht dat ze het verkeerd verstond: 'Die Gemmeker denkt dat hij God is, verdomme.'

Er viel een stilte. Maira voelde haar kuiten prikken. Ze zat alweer te lang gehurkt. Als die twee niet gauw doorliepen dan schoot haar been weer van de rand. Rook dreef naar binnen en prikte in haar keel. Straks moest ze nog hoesten!

'Zijn liefje is nog veel erger,' zei David. 'Maar misschien is ze alleen zo wreed voor ons... medewerkers.'

'Nee, voor ons net zo goed. Een heks, dat mens. Het is één grote schijtzooi hier,' zei de Duitser. 'Ik wil naar huis.'

Ga dan, dacht Maira. En schiet een beetje op! Want haar been begon nu pijn te doen.

'Ik wil het gerust een nachtje van je overnemen, hoor,' zei David. 'Ik zal toch niet kunnen slapen. Ze gaan weer feesten waarschijnlijk, de achterblijvers. Doen ze altijd na een transport.'

'Nee... dat kan ik niet maken...' zei de Duitser, maar hij leek te aarzelen. David bleef zwijgen. Maira begreep dat hij voor háár zo aandrong. Dappere David! Maar nu bleef hij zwijgen. Wachtte wat de soldaat zou zeggen.

Het duurde zó lang, dat Maira de tranen uit haar ogen voelde lopen. Haar been deed zo'n verschrikkelijke pijn, en nu begon het andere ook te steken.

'Nee,' zei de Duitser toen. 'Maar bedankt voor het aanbod.'

'Hier, neem mijn sigaretten maar mee,' zei David. 'Om de nacht door te komen. Blijf je tenminste wakker.'

De Duitser grinnikte. 'O, ik kan staande slapen tegenwoordig. Tenminste één goed ding dat deze verrekte oorlog me heeft geleerd.'

'Ik ken dat. Tegen de ochtend hou je je ogen gewoon niet meer open. Vooral vlak voor het licht wordt.'

'Klopt,' zei de Duitser. 'Nou, mijn beste, mijn maat daarboven wordt ongeduldig. Ik ga maar eens. Bedankt voor de sigaretten!'

Maira hoorde hem weglopen. David bleef kennelijk nog staan; schraapte zijn keel. Maira durfde niet te laten merken dat ze hem had gehoord. Dat ze álles had gehoord, en had onthouden.

Tegen de ochtend hou je je ogen gewoon niet meer open. Dus dat was het moment dat ze moest gaan.

David hoestte nog eens, luider nu. Hij wachtte op antwoord... Heel zachtjes kuchte Maira terug, maar hij had het gehoord, want hij hoestte er meteen hard overheen.

'Alles in orde?' Het was bijna niet te verstaan.

Maira kuchte nog eens. Toen hoorde ze David weglopen,

rochelend en reutelend alsof hij stikte in zijn sigaret.

Ze probeerde op te staan – nu kon het wel even. Maar ze kreeg haar knieën niet meer recht. Ze tuimelde op de grond en rolde om. Pas na een tijdje kon ze haar benen weer strekken en opstaan. Nu nam ze het risico maar om te gaan zitten. Iedereen zat te eten en straks zou de sirene voor de nacht gaan.

Heel langzaam werd het donker. Soms dacht Maira flarden muziek te horen – werd er inderdaad gefeest, zoals David had voorspeld? Haar hart werd groot en zwaar in haar borst, zodat ze bijna geen adem meer kreeg. Waar was haar moeder nu? Reed de trein ook als het donker werd? Ze dacht aan de goederentreinen die ze soms 's nachts voorbij had horen komen als ze dicht bij een spoorweg stonden. Wagon na wagon na wagon... denderend door de nacht. Verder en verder weg reed haar moeder. Verder en verder weg. En Maira had haar gouden sieraden. Maira had haar moeders hoop.

Ze werd wakker van de kou, opgekruld op de betonnen vloer. Niet voor de eerste keer. Ze was wakker geworden van de sirene. Ze was wakker geworden van een koekoek. Ze was wakker geworden om de regenmantel om zich heen te wikkelen. Ze was wakker geworden toen haar wang van haar opgerolde hoofddoek op de korrelige grond gleed. Ze was wakker geschrokken uit een droom. En nog een keer. Elke keer was ze naar het raampje gelopen om te zien of de hemel al een heel klein beetje licht werd. Het was moeilijk te zien, door die schijnwerper zo vlakbij. Maar nu wist ze het zeker.

Het was tijd.

Ze trok de jas goed aan en knoopte hem dicht. Daarna sloop ze het hokje uit, naar de buitendeur. Een heel klein stukje duwde ze hem open. Het licht leek fel, maar na een tijdje merkte ze dat het niet zo helder was als ze had gedacht. Ze tuurde naar de wachttoren. Ze kon de wachter niet zien staan. Toch moest hij er zijn. Had hij de deur open zien gaan? Keek hij naar haar? Ze hield zich stil, keek strak naar de grond. Ze wilde zijn blik niet naar zich toe lokken door te staren.

Ze moest het doen, nu. Geruisloos liet ze haar voeten neerkomen op de platgetrapte grond. Ze schoot om het gebouwtje heen, drukte zich tegen de muur. Nu kon hij haar zéker niet zien. En nu snel tussen de barakken door, vlak langs de wand, als een muis. Er was nu niemand meer, ze zou niet ontdekt worden. En dan gauw de hoek om, snel die paar stappen naar het hek... Ze liet zich op haar buik vallen en bleef roerloos liggen. Stuifmeel drong in haar neus, van de plant waar ze op terecht was gekomen. Overal stonden van die paarse kaarsen. Niet niezen nu, aan iets anders denken.

Wachten. Wachten of de soldaat in de toren op haar zou schieten, of hij alarm zou slaan, of er rennende voetstappen aan zouden komen, en blaffende honden.

Stilte. Nee, in de volgende rij barakken snurkte iemand. Nou, des te beter. Maira richtte zich op haar ellebogen op en onderzocht het eerste hek. Waar kon ze het beste knippen?

Toen zag ze tot haar verrassing dat iemand al een beginnetje had gemaakt. Natuurlijk, dit was de beste plek, precies tussen twee wachttorens in. Maar degene die hier begonnen was met knippen was niet ver gekomen. Alleen de onderste twee draden had hij doorgeknipt, en alleen van de eerste versperring. Hadden ze hem gepakt?

Maira werd zenuwachtig. Maar ze moest geen tijd verspillen. Liggend stak ze haar hand in de voering en haalde de tangen tevoorschijn. Ze hield de derde draad vast met de tang in haar linkerhand en probeerde te knippen met haar rechterhand. Er was veel kracht voor nodig. Prikkeldraad bleek te bestaan uit twee dikke ijzerdraden, in elkaar gestrengeld.

Maira had al zere handen voor ze er één door had. En intussen loste het donker op en ging over in een grauwe schemering. Een vogel begon te zingen. Ze moest opschieten!

Toen de derde draad eindelijk bezweek, had ze blaren in haar handen staan. Drie draden moest genoeg zijn. Maira boog ze opzij en schoof op haar buik door het gat. Dat was één! De draden in het tweede hek zaten dichter bij elkaar. Ze zou er vier door moeten knippen. Ze begon aan de eerste. Maar misschien kronkelde ze te veel; de doorgeknipte draad van het eerste hek haakte in haar jas en wilde er niet meer uit. Maira moest uit de jas kruipen, de pinnen lospeuteren, de draden verder ombuigen – en dat kostte allemaal tijd.

Na de eerste draad van het tweede hek kon ze bijna niet meer. Haar rechterhand deed gemeen zeer – er was een blaar stukgegaan. Ze hijgde even uit en begon aan de volgende draad. Nu kreeg ze ook nog kramp, omdat ze boven haar macht werkte. Tranen liepen uit haar ogen, gewoon van de pijn. Maira liet de tang zakken. Het lukte toch niet!

Ik reken op je.

Goed dan. Ze strekte haar armen weer naar de derde draad.

Toen ze hem eindelijk, eindelijk had doorgeknepen, kon ze, net boven de jonge boompjes uit, de wachter in de toren op de hoek duidelijk zien. In het aarzelende licht zag ze dat hij tegen een van de houten staanders hing. Sliep hij? En de andere? Ze keek naar links en schrok. De soldaat in de andere toren sliep niet! Hij leunde op zijn ellebogen en staarde over het kamp. Als hij nou maar niet haar kant uitkeek... Gauw doorwerken, voor het licht werd!

De vogels gingen nu tekeer alsof ze een zangwedstrijd hielden. Daar zou een dove nog wakker van worden! Maar het overstemde het knauwen van de tang en het zingen van het prikkeldraad.

De spanning maakte haar onhandig. Haar linkerhand was

slapper dan anders, ze liet de buigtang steeds vallen. Twee, drie blaren stonden er nu ook in die hand. Ze wrikte en draaide, omdat dat makkelijker leek te gaan dan knijpen, maar dan gleed de tang uit en moest ze het goede plekje weer zoeken.

Iemand hoestte. Maira bleef als verlamd liggen. Ze durfde bijna niet op te kijken – maar toen dreef er een wolkje tabaksrook in haar neus. Wie rookte daar? Zonder haar hoofd op te tillen gluurde ze over haar armen heen. O nee! Het was de bewaker in de wachttoren links. Hij leek nu recht haar kant op te kijken.

Wegrennen wilde Maira – maar ze kon nergens heen. Daarom bleef ze maar doodstil liggen. Die man zag haar. Zou hij schieten? Of zou hij op zijn gemak naar beneden komen en haar in haar nekvel grijpen? Waarom deed hij niks? Ze durfde bijna niet te ademen.

Toen, onbegrijpelijk, draaide hij zich om en ging weer over de andere leuning hangen. Hij had haar niet gezien! Hoe kon dat nou?!

Maira moest denken aan haar grootmoeder Dotsji, en dat Maira altijd de draad voor haar in de naald moest steken als het schemerde.

'Geen nacht en geen dag,' mopperde haar grootmoeder dan. 'Mijn ogen weten niet waar ze zich aan te houden hebben.'

'De mijne wel,' had Maira gezegd.

'Omdat je nog jong bent, meisje. Later zul je net als ik stekeblind zijn in de schemering.'

Dat moest het zijn. De soldaat op de toren had oude ogen.

Haar handen trilden – van spanning en van vermoeidheid – terwijl ze de tang in de laatste draad zette. Haar kaken klemden zich op elkaar, haar kiezen kraakten. Buigen, draaien, knijpen, wrikken… Maira vergat de man op de linkertoren, vergat de Duitser die staande kon slapen, vergat haar blaren.

Ze was bezig een draad door te knippen, en niks anders.

En toen wás hij door. Nu niet wild gaan doen, dan bleef ze vastzitten. Beheerst boog Maira de draden weg van het gat en plat over de grond kroop ze erdoor.

Aan de oever van de sloot groeide hoog het onkruid. Ze wrong zich ertussen, zo dicht mogelijk bij de oever. Toen wikkelde ze haar tangen weer in de reepjes stof. Liggend op haar zij stopte ze de pakjes netjes weg in de voering van de mantel, die ze weer oprolde. Het ging niet makkelijk, het ging niet snel, en de onrust kriebelde in haar benen, maar het moest gebeuren. Het gerammel van tangen zou die wachters zéker wakker maken!

Ze wilde het pakketje op haar hoofd binden – maar nee, zó breed was die sloot niet. Ze schatte de afstand, richtte zich op, mikte en gooide het naar de overkant. De plof klonk zo luid dat de vogels even zwegen; een korhoen fladderde klokkend van haar nest, tussen de struiken aan de overkant. Maira hijgde, zomaar, van angst alleen. Ze drukte haar gezicht tegen de aarde. Die rook vochtig, naar plantenresten en dode vis. Een kevertje liep onder haar neus voorbij. Haar bloes schemerde akelig wit voor haar ogen. Niet bewegen nu. Beweging viel op. Zij had zelf dat korhoen niet gezien, totdat het bewoog. Haalde ze nu maar niet zo wild adem...

Er gebeurde niets. Behalve dat het langzaam nog lichter werd. Ze kon hier niet blijven liggen. Ze moest de sloot in, nu. Zonder zich op te richten liet Maira zich zijdelings in het water glijden. Haar adem stokte – het was ijskoud. En het stonk, naar rotte planten en dode vis. Natuurlijk stak ze tóch haar voeten uit naar de bodem, maar die zonken er meteen in weg. Ze begon met haar handen te peddelen. Trappelen durfde ze niet. Haar benen zonken, sleepten over de bodem. Slijmerige slierten veegden langs haar schenen. De oever aan de overkant kwam veel te langzaam dichterbij.

Haar rechterkuit schoot in een kramp, van de kou, en van de lange nacht. Ze deed haar ogen dicht van de pijn. En toen ze ze weer opende, rees plotseling de oever voor haar op, hoog – kon hij zó hoog zijn?! – en steil. Ze greep ernaar, kreeg een pol gras te pakken, maar de wortels lieten los en kluitjes aarde vielen met kleine plonsjes in het water. Ze graaide nog eens, naar een berkenscheut die hoger op de oever groeide.

Maar ook die was niet stevig genoeg geworteld. Zonder nadenken trapte ze naar de bodem, om zich af te zetten. Haar voet zakte weg in de zachte prut. Ze kreeg hem niet meteen los. Ze greep zich vast aan een pol gras en trok. De prut zoog aan haar voet, zoog haar schoen eraf, die achterbleef in de slijmerige brij. Niets aan te doen! Ze was veel te zichtbaar hier tegen de wal.

Maira liet nu alle voorzichtigheid varen. Met klauwende handen werkte ze zich tegen de oever omhoog, links en rechts vielen de kluiten veen in het water. Tenslotte kreeg ze een paal van het hek te pakken en trok zich op. Een pin van het prikkeldraad schramde haar hand, maar ze gunde zich geen tijd het bloed eraf te likken. Zonder om te kijken maakte ze de regenmantel los en trok die over zich heen. Zo lag ze daar te hijgen, en te wachten tot ze haar zouden ontdekken, tot ze de sirene zouden laten loeien, tot ze haar zouden opsluiten in afwachting van de volgende trein.

Bijna verlangde ze daarnaar. Ook naar het oosten, naar de anderen. Niet meer zelf hoeven denken. In haar moeders armen kruipen.

Bijna. Want toen het maar duurde en duurde zonder dat er alarm geslagen werd, begreep ze dat ze moest vluchten nu ze de kans had. Ze haalde de tangen weer tevoorschijn. Ze verwondde haar handen tot bloedens toe terwijl ze zich door het derde hek heen werkte, en door het vierde. Zingend knapte eindelijk de laatste draad. Plat op haar buik kroop Maira het kamp uit, liet zich in een greppel rollen en bleef liggen terwijl ze de jas dichtknoopte. Even hief ze nog haar hoofd boven het onkruid uit om naar het kamp te kijken. Niets. Alles rustig. Iedereen sliep nog.

Ze rolde over een volgend aardwalletje heen en begon op haar ellebogen tussen de begroeiing door te kruipen. Weg!

Te laat

Toen de ochtendsirene klonk, was Maira al zover buiten het kamp dat ze zich een beetje durfde opheffen. Ze zag de wachttorens boven het rommelige strookje jong bos uitsteken. Verder kon ze niets zien van het kamp. En het was bijna zeker dat ze haar ook niet zagen. Opeens was ze blij dat ze geen pikzwarte haardos meer had. Haar lichtbruine schedel zou tussen de heidestruikjes en het gele gras veel minder opvallen.

Ze vermeed de paden. Lopen durfde ze ook nog niet, dus ze bleef voortkruipen op haar ellebogen en knieën. Haar rok kroop op en haar benen kwamen onder de schrammen te zitten, van wortels en scherpe takken. Maar dat kon haar niet schelen. Als ze eerst maar buiten bereik van de Duitsers kwam!

Af en toe sneed een diepe sloot door het heidelandschap heen, of een plas dwong haar een omweg te maken. Dan stond ze heel even op om rond te kijken. Ze had een ontzettende dorst, maar ze dronk niet uit de poelen. Het was gevaarlijk om stilstaand water te drinken. Er zou hier toch ergens wel een beekje zijn?

Maira was nog nooit alleen geweest. Haar hele leven had ze familie om zich heen gehad. Ze had nog geen boodschap mogen doen zonder dat een van haar broers erbij was. Ze had niet geweten dat de wereld zo groot was, en zo onduidelijk. Ja, ze had stiekem opgelet als haar vader haar broers iets uitlegde, en zo wist ze iets van de windrichtingen en de tekens die de weg wezen. Ze had met haar grootmoeder door het bos en over de velden gedwaald en iets over planten en kruiden geleerd. Maar ze had nog nooit een beslissing hoeven nemen over route of richting. Ze had in die trein moeten zitten. Haar moeder had zich vergist.

Maar nu moest ze wel. Ze hield de zon in haar rug. Naar het oosten moest ze niet gaan; daar was het kamp, daar was Duitsland, daar was Polen. Naar het zuiden wilde ze, terug naar het gebied dat ze kende. Maar als ze te gauw naar het zuiden ging, zou ze weer in het kamp terecht kunnen komen, want dat was uitgestrekt, en er was daar ergens ook nog een boerderij waar de Duitsers de baas waren. Ze moest ook oppassen dat ze niet de weg kruiste die van het dorp naar het kamp moest lopen, want de ingang was aan de westkant geweest. Het dorpje waar de trein op de heenweg doorheen was gekomen moest ze mijden, er met een grote bocht omheen gaan.

Na een paar uur kruipen vond ze een beekje waar ze uit kon drinken. Het koude water deed pijn in haar buik. Ze maakte haar vinger nat met spuug en smeerde het op haar kapotte knieën. Ze was niet erg ver gekomen, maar ver genoeg om niet meer zo verschrikkelijk bang te zijn, dus ze ging overeind zitten en bestudeerde de omgeving. Aan haar linkerhand was een bos, maar daar durfde ze niet in. De Duitsers die naar haar op zoek waren zouden daar natuurlijk het eerste gaan kijken... Toen mepte ze zichzelf op haar bovenbeen. Wat een sukkel was ze! Er wás niemand naar haar op zoek. Ze stond niet op een lijst. Voor de Duitsers bestond er geen Meinhardt, Maria. Ze zouden Maira niet missen. Op de hele wereld was er – behalve haar familie – maar één persoon die wist dat ze bestond, en dat was niet-gekke David. En die zou zijn mond houden. Wat hij ook in zijn hoofd had gehad toen hij haar hielp ontsnappen, hij moest denken dat hij haar gered had of zoiets.

Maira wenste dat hij dat niet had gedaan. Ze had liever in de trein gezeten, tegen de warme arm van haar moeder aan, met Krasa aan haar andere kant. Eigenwijs vogeltje... Opeens was ze bang dat ze haar kleine zusje nooit terug zou zien. Ach welnee, onzin. De Tommies* zouden de Duitsers verslaan en dan zou iedereen terugkomen uit Polen. Ze zouden hun wagens ophalen en ze in een hoefijzervorm zetten en de grootste pannen tevoorschijn halen. Ze zouden zuurkool eten, met zelfgemaakte deegslierten en voor ieder wel een hele kip. Haar vader en oom Wasso zouden het vuur stoken en het spit draaien. De neven Moro en Mertzo zouden viool spelen en oom Wasso zou het tempo aangeven op de bas. Haar moeder en tante Toetela zouden zingen, tante Lalla zou in haar handen klappen, Maira en Foeksa en Moezla zouden dansen. En daarna zouden ze de restjes uit de pannen schrapen – er was nog meer dan genoeg – en als het vuur inzakte zou grootmoeder Dotsji een verhaal vertellen. Het verhaal over de geest die bij het inzakkende vuur kwam zitten als bijna iedereen naar bed was gegaan. Zomaar uit het donker doemde de geest op, en hij zag eruit als een gewone man, maar hij liet geen voetsporen na en hij at en hij dronk niets. Hij beloofde dat je voortaan alleen nog maar voorspoed zou hebben, als je er maar aan dacht om als je naar bed ging nog één laatste blokje op het vuur te leggen, opdat de geest zich kon warmen en waken over iedereen van wie je hield. Tegen de ochtend zou hij verdwenen zijn, maar je zou aan je beurs voelen dat hij geweest was, je zou het merken aan de veulens die werden geboren, en de flinke jongens die je zou krijgen. Maar je moest niet één keer vergeten dat laatste stuk hout op het vuur te gooien, want dan zou je het bezuren... Dan zou al je geluk verschrompelen, je veulens zouden kreupel zijn en je kinde-

---

* de Engelse troepen

ren mankepoten, de snaren van je viool zouden knappen en je wagen zou door zijn assen zakken. Je zou van alle deuren worden weggejaagd en als bedelaar eindigen, zonder familie, alleen tussen vreemden en met niets in je maag...

Maira rilde. Haar kleren waren nog steeds vochtig, en ze had de regenjas aangehouden ook al stond de zon nu al hoog. Maar die hielp toch niet, ze bleef maar rillen. Gauw verder maar weer. Nog even en ze zou de bosrand in het westen bereiken. Misschien kon ze nu wel te voet verder?

Ze waagde het erop. Nu kwam ze veel sneller vooruit, ook al droeg ze maar één schoen. Ze was altijd gewend geweest om op blote voeten te lopen in de zomer, en het jaar in de stad had het eelt niet doen verdwijnen. Hei kon scherpe takjes hebben, maar Maira wist hoe ze erop kon stappen zonder zich pijn te doen.

Toen ze de bosrand bereikte, lette ze even niet op en ze stootte haar knie aan een boomstronk. 'Au!'

Kwaad trok ze haar andere schoen uit; ze had nu al een blaar aan haar kleine teen. Ze smeet hem in het struikgewas. Een fazantenhen rende plotseling onder een struik uit. Zou ze al broeden?

Maira ging er snel naar toe. Ja, in een kuiltje was een nest met drie, zeven, elf koffiebruine eieren. Maira pakte er een op en schudde het bij haar oor. Er zat nog geen kuikentje in. Ze kneep de schaal door en slobberde het struif uit haar hand. Ze deed haar ogen dicht van genot. Nog een!

Het spijt me, zei ze in gedachten tegen de hen, maar je houdt nog genoeg kinderen over. Drie eieren nam ze, de rest liet ze in het nest. Nooit te gulzig zijn, had haar grootmoeder haar geleerd. Je moest de natuur te vriend houden, anders keerde die zich tegen je.

Nu ze toch bezig was, plukte ze wat jong paardenbloemblad en propte het in haar mond. Ze keek uit naar brave hendrik, maar kon de plant met de malse scheuten niet vinden. Misschien groeide die hier niet. Ze liep verder door het bos en meed de paden. Haar maag rommelde nu verschrikkelijk. De honger was terug. Die paar eitjes en blaadjes hadden haar maag alleen maar wakker gemaakt. Zodra ze weer een meertje zag, moest ze wat biezen plukken. Dan kon ze het zoetzure sap eruit zuigen, want ze was duizelig van de honger en de slaap.

Opeens hoorde ze hoeven klepperen, en het piepen en kraken van een wagen. Ze was op een weg gestuit! Meteen dook ze naar de grond en school weg tussen de bosbessenstruiken.

Maar ze was te laat. Een mannenstem riep: 'Meisje! Meisje, kom eens hier?' En tegen het paard: 'Hoooo!'

Maira bleef liggen. Ze hoefde niet te doen wat die gadzjo zei. Ze was een vrij mens. Het paard snoof, de man grinnikte.

'Mij best,' zei hij. 'Ik ga melk naar het kamp brengen. Lekkere verse vette melk van mijn eigen koeien. Ik dacht dat je wel wat zou lusten. Maar het hoeft niet, hoor.'

Maira bleef liggen. Die boer werkte voor de Duitsers!

'Ik zie je liggen, meisje zonder haar,' zei de boer tot haar schrik. Natuurlijk, hij zat hoog op zijn kar. Ze hief haar hoofd en keek angstig naar hem op. Ze kon wegrennen, zigzag tussen de bomen door. Hij zou haar niet volgen; zijn melk was te kostbaar. Maar hij zou haar verraden aan de bewakers van het kamp.

Ze zag hem op de grond springen. Hij kantelde een melkbus van de wagen en maakte hem open. Hij goot wat melk in het deksel en zette het klem tussen twee stenen.

'Hier, egeltje. Ik zal je niks doen. Ik rijd door naar het kamp en op de terugweg vind ik mijn deksel wel weer. Ik snap het best als je me niet vertrouwt. Maar mijn hooiberg is lekker zacht en warm en de hond ligt aan de ketting. Gewoon deze weg volgen, dan is het de eerste boerderij aan je rechterhand.

Maar als je verder doorloopt, kom je in het dorp. En daar kri-
oelt het van de moffen, het is zonde dat ik het zeg.'

Maira bleef liggen tot het geluid weggestorven was. Toen
schoot ze overeind en liep struikelend naar de rand van het
pad – door het snelle opstaan was de duizeligheid erger geworden. Ze dronk – melk gulpte over de rand. Ze dronk rusti-
ger. De melk was zoals de boer had gezegd: vers en vet. Maira
slurpte tot ze ook de laatste druppel te pakken had. Ze legde
het deksel terug op de stenen, maar opeens bedacht ze zich.
Ze bukte zich en stak het deksel in haar zak. Ze zou het zelf
terugbezorgen.

Ze liep niet over de weg, maar erlangs, tot het bos ophield.
Hier waren alleen nog akkers en weiland. Na even nadenken,
deed ze haar hoofddoek weer om. Hij zag er vies uit, maar een
kaal hoofd stond nog gekker. Ook die boer had geweten waar
ze vandaan kwam.

Ze nam geen risico, en stak de weg over naar de hei aan
de andere kant van de akker. Zo zou ze minder in het oog lopen. Het zou veel verstandiger zijn geweest te wachten tot het
avond werd, en donker. Maar die hooiberg lokte.

Zo snel ze kon liep ze door. Opeens kreeg ze een watertje
in het oog. Ze moest er een omweg voor maken, maar... Ze
holde over het ongelijke terrein. Ja, ze had gelijk gehad. Er
groeiden biezen langs, jong en mals. Ze rukte ze met handen
tegelijk uit de grond, stak twee, drie stengels tegelijk in haar
mond. Als een razende kauwde ze, tot het zoete binnenste
van de stengels haar maag had gevuld. Eindelijk werd het stil
in haar buik.

Ze naderde de boerderij aan de achterkant. Voor het koeien-
hek had ze geen tangen nodig. Even gleed ze uit in een plak
mest, maar ze was weer op de been zonder lawaai te maken.
De hond zag ze niet, en toen ze heel voorzichtig verder het erf

op sloop, merkte ze dat hij in zijn hok lag te slapen.

De hooiberg lag wat terzijde. Ze zou vanuit het huis gezien kunnen worden, dus klom ze snel zo hoog mogelijk in het hooi en daarna zo ver mogelijk naar achteren. Ze zakte er diep in weg en het voelde behoorlijk wiebelig, maar dat gaf niet. Zodra ze ver genoeg uit het zicht was, rolde ze de regenjas op tot een kussen, trok een paar flinke plukken hooi over zich heen en viel in slaap.

Ze rook eerst het spek, daarvan werd ze wakker, en toen pas hoorde ze het gehijg van een mens. Ze schoot overeind voordat ze had kunnen bedenken waar ze was. Toen wilde ze gauw weer onder het hooi kruipen, maar de boer had haar gezien en lachte haar uit.

'Dat doe je nou elke keer,' zei hij. 'Maar het helpt je niet, egeltje. Mijn vrouw zei dat ik je maar eens wakker moest maken.' Hij zette een kroes helder water in het hooi. 'Waar heb je mijn deksel gelaten?'

Maira haalde het deksel uit de zak van de regenmantel.

Stomverbaasd keek ze toe hoe de boer naast haar klom, een zakdoek weg vouwde van het blikken bord dat hij droeg, zijn mes uitklapte en een stuk spek afsneed. Daarna hakte hij nog een homp brood af en ging zitten smikkelen.

Maira beet op allebei haar wangen. Als ze dacht dat ze hem zou smeken, dan had hij het mis! Dit was de raarste gadzjo die ze ooit had gezien. En wat had hij nou gezegd over zijn vrouw? Ze konden toch niet weten dat Maira hier lag te slapen?

'Het zijn rare tijden,' mijmerde de boer. 'Vijf graden vorst in mei. Mensen worden afgevoerd in beestenwagens. En zigeunermeisjes weten niet meer hoe ze moeten bedelen.'

'Ik mag niet bedelen van mijn vader,' zei Maira. 'Maar het is onbeleefd om alleen te eten als je gasten hebt.'

106

De boer gooide zijn mond open – je zag gemalen brood en spek – en lachte. Het denderde als een goederentrein.

'Rakker!' zei hij. 'Ik plaag je maar wat, hoor. Hier.' Hij zette het bord op Maira's schoot. 'Moest ik aan jou geven van de vrouw. Ze zag je de hooiberg in klauteren. In huis wil ze je niet hebben – veel te gevaarlijk. Maar als je vannacht hier slapen wilt, hebben wij niks in de gaten. Op eigen risico.'

Maira kon geen antwoord geven. Spek! Hoe lang was het geleden dat ze dat had gehad! Toen het op was, begon ze aan het brood. Zulk lekker brood had ze nog nooit gegeten.

De boer zette zijn handen op zijn knieën, alsof hij op wilde staan. 'Je kunt vannacht hier blijven. Maar je kunt ook over de hei lopen en vannacht het spoor over zien te komen. Er is bijna geen maan, je bent zo veilig als een egeltje in een heg. Kijk alleen uit dat je niet in het water rolt. De meeste greppels staan droog, maar niet allemaal. Het veen is verraderlijk.'

Maira keek hem aan. Alleen over de hei lopen, 's nachts, zonder maanlicht?

'Je hoeft niet zo te kijken... Waar wil je heen? Je kunt hier niet over het kanaal. Veel te gevaarlijk.'

Maira bleef zwijgen. De hele wereld leek opeens veel te gevaarlijk.

'Waar is je familie? In het zuiden? In het westen?'

Maira keek hem boos aan. De man schudde zijn hoofd.

'Och, och, toch niet met die moffentrein mee? Maar waar moet jij dan heen?'

Voeg je bij je vader, had haar moeder gezegd.

'Naar mijn vader...'

De boer knikte. Hij zag er opgelucht uit. 'Mooi, dus je hebt nog een vader. Dat is goed. Heel goed. Nou, dan moet je vannacht maar gaan. Ik kan je niet hebben hier, dat begrijp je. Veel te gevaarlijk. En de weg kan ik je ook niet wijzen, want ik ben nog nooit verder geweest dan Hoogeveen.'

Hij stak zijn hand uit naar het bord. Maira gaf het hem. 'Dat is dan afgesproken. Vannacht ga je weer verder. Ik zal de hond niet loslaten vannacht en ik zal iets te eten voor je neerzetten bij de waterput. Die is aan de andere kant van het huis. Je mag die kroes wel meenemen.'

Nu stond hij echt op. 'Dus: naar het westen over de hei, en dan aan de noordkant om het Diependal heen.' Hij begon naar beneden te klimmen. 'Dat is een meer, snap je, midden op de hei, met een eilandje erin. En dan verder naar het westen, tot je aan de rijksweg komt. Daar moet je maar een lift zien te krijgen tot aan de volgende brug over het kanaal. Goed onthouden, hoor.'

Hij was weg voor Maira antwoord kon geven.

Over de hei, door het pikkedonker, alleen?

Ze kwam niet snel vooruit, maar het was niet zo griezelig als Maira had gedacht. Bij het licht van de sterren kon ze aardig wat zien, en de maan was een dun sikkeltje. De uilen en vleermuizen joegen haar geen angst aan. Muizen schoten voor haar weg als ze langskwam, en misschien ook andere dieren. Elke keer ging haar hart dan even iets sneller, maar dieren waren niet zo gevaarlijk als mensen, en mensen hoorde ze niet.

Het dorp was makkelijk te vermijden geweest; de mensen waren nog niet naar bed en hoewel alle ramen verduisterd waren, zag je de huizen toch afsteken tegen de lucht. Ze was zonder probleem het spoor overgestoken en ook de grote weg, waar ze even in een greppel had liggen wachten tot er niemand meer kwam. Ze had langs akkers geslopen onder dekking van een houtwal en toen was ze weer op de hei gekomen.

Het was een raar gevoel om zo weg te lopen van de mensen. Die gadzjo van het spek was toch aardig, al had ze dan niet mogen blijven. Zo de woestenij in gaan voelde niet goed.

Een meisje alleen, weerloos, zonder vuur en zonder mes, en zonder benul van de weg die ze moest nemen. Er zouden toch vast nog wel meer aardige gaadzje zijn? Vroeger, toen alles nog was zoals het hoorde, hadden ze zo vaak bij een boer mogen blijven. Een keer had moeder Bloema wel drie weken in huis geholpen, omdat de boerin net bevallen was en vader Django meewerkte bij de appelpluk. En wie zou een klein meisje kwaad willen doen?

Toen ze zichzelf eigenlijk al had overgehaald om toch maar hulp te zoeken, was ze intussen een heel stuk verder gekomen. De bewoonde wereld lag achter haar. Ze keek om. Er was nog iets gebeurd zonder dat ze het merkte. De lucht, die eerst het lichtst was geweest voor haar uit, was nu een heel klein beetje bleker achter haar. Het begon licht te worden.

Ze voelde wel haar voeten. Hoeveel eelt ze ook had, nu deden toch de zolen pijn. En ze begon moe te worden. Maar toen ze eventjes ging liggen, in een ondiepe kuil, schrok ze telkens op als ze indommelde. En koud kreeg ze het ook, al kroop ze diep weg in de grote regenmantel. Daarom ging ze maar weer verder.

Tegen de ochtend was haar hoofd helemaal in de war. De wereld ging met schokjes alle kanten op en de nevels die boven het veen dansten, gaven haar een gevoel alsof ze zelf zweefde. Ze rilde nu zelfs tijdens het lopen, een schokkerig rillen. Ze moest wat eten. Op de rand van de waterput had ze een paar gekookte aardappels en een klont koude griesmeelpap gevonden, gewikkeld in dezelfde zakdoek. Ze had het bundeltje in haar zak gestoken en alleen water gedronken. Het eten had ze pas op willen eten in de ochtendzon, maar nu hield ze het niet langer uit. Ze schrokte de aardappels naar binnen tijdens het lopen, en toen die op waren ook nog de griesmeelklont. Waar bleef dat stomme meertje nou?

Er was wel een plas – ze liep er bijna in. Het was niet meer dan een poel. Dit kon niet het meertje zijn dat de boer bedoeld had. Toch ging ze er aan de noordkant omheen. Rechts was een bos en opeens hoorde ze takken kraken. Verschrikt keek ze op.

Een ree stond naar haar te kijken, een hinde met een jong scholen achter haar grijsbruine lichaam. Ze draaide zich om en sprong weg tussen de bomen met het jong erachteraan. Even voelde Maira zich ontzettend eenzaam. Ze liep naar de beschutting van de bosrand toe. Even zitten. Misschien zag ze een konijntje.

Ze had in die trein moeten zitten. Wat kon haar Polen schelen, als ze bij haar familie was? Ze voelde zich als een pasgeboren muis, naakt en blind.

Een vroege hommel vloog waggelend voorbij. Maira stak haar hand uit; misschien kon ze hem aaien. Maar deze vloog verder.

Ze had in die trein moeten zitten! Ze zou het niet erg vinden als haar moeder haar op haar kop gaf. Aan Elmo zou ze zich niet meer ergeren. En ze verlangde zelfs naar het jammeren van Kersja.

Ze had niet moeten doen wat die gekke David zei. Ze had naar de trein moeten rennen en zich naar binnen wringen voordat ze de deuren dichtschoven en de grendels erop deden. Ze had tussen haar moeder en haar zusjes in moeten kruipen, waar ze hoorde. En nu was het te laat. Die trein was misschien al in Polen.

'Mama!' kreunde ze hardop. Ze dacht: Mama, kom terug.

Een egeltje scharrelde rond in het kreupelhout, op zoek naar een plek om te slapen.

Maar Maira geloofde niet meer dat egels geluk brachten. Die politieman leek op een egel, en toen was Falko doodgegaan.

In het beginnende licht zag ze voor zich uit het meertje glinsteren. Dus ze was niet verdwaald. De nacht was voorbij en ze had de goede weg gevonden en nu hoefde ze alleen maar tussen de akkers door te lopen naar de weg. En dan over de brug en naar het zuiden.

Zelfs toen de zon opkwam, bleef het nog koud.

Morgen of overmorgen

eind mei 1944

Het was niet om uit te houden op het vlierinkje. Maira kon er niet overeind zitten, ze was met haar voeten achteruit de ruimte in geschoven en kon er alleen maar liggen. Op haar buik, op haar rug, op de ene zij, op de andere zij, en weer op haar buik. Ze moest hier blijven tot de avond, als het bezoek weg was. Dan zouden ze het trapje terugzetten en kon Maira afdalen naar het piepkleine zolderkamertje zonder raam waar haar bed stond. Daar kon ze ook niet veel anders doen dan liggen, maar er was tenminste een lamp en er lag een boek met platen. De platen kende ze al uit haar hoofd. Soms liep ze het smalle paadje naast haar bed op en neer, om haar benen wat te doen te geven. Maar dat ging snel vervelen en het mocht ook niet, want ze waren bang dat de buren de planken zouden horen kraken.

Het was zo warm! Maira zweette, het drupte uit haar wenkbrauwen en liep in straaltjes langs haar zijden. Het water in de kan was lauw geworden, en er zat nog maar een beetje in. Het was pas mei, en toch al zo warm als in de heetste zomer. De zon stond op de pannen te branden en de hitte straalde door in de kleine ruimte. Maira hijgde, ook al kon ze niet eens bewegen. Kwamen ze haar nou maar halen!

De mensen waren best aardig. 's Avonds, als de deur op slot was en de ramen verduisterd, mocht ze beneden komen om wat te eten en te praten. Dan pakte de vrouw haar handen beet, sloot haar ogen en begon te bidden, in een onverstaanbaar dialect. De man mompelde maar wat mee, en Maira ook, want het waren gebeden die ze niet kende. Deze mensen waren protestant, net als Haimo Schattevoet. Elke avond voor ze naar bed gingen lazen ze een stukje voor uit de Bijbel. Maira begreep daar weinig van, maar ze trok een gezicht alsof ze elk woord indronk.

Deze mensen zetten hun leven op het spel voor haar – dat zeiden ze tenminste. Ze heetten Bots, Chris Bots en Margje Bots, maar ze noemden elkaar broeder en zuster, en Maira moest dat ook zeggen. Ze moest moeite doen om niet te giechelen als ze zuster tegen háár zeiden. In gedachten hoorde ze Foeksa brommen: 'Ik ben je zuster niet!' Wat zou haar nichtje lachen als ze het verhaal hoorde!

Maira had hun een van haar moeders gouden ringen gegeven, die ze met de deur dicht van de hoofddoek had geknipt. Daarna had ze eerst de hoofddoek weer verstopt in de voering van de regenjas en toen pas de deur opengedaan. De man, broeder Bots, had op de ring gebeten en hem toen snel in een laatje opgeborgen. Het deed Maira pijn haar moeders mooie ring in dat vreemde kastje te zien verdwijnen. Haar moeder kende deze mensen niet eens! Maar ze snapte wel dat dit het was waarom ze het goud had meegekregen. Ze moest het gebruiken om hulp te kopen.

Maar was dit hulp? Het was al een week geleden dat een boer haar had meegenomen op zijn wagen. Sinds ze hier zat, waren de blaren in haar handen genezen, haar voeten gloeiden niet meer. Wat deed ze hier nog? Zuster Bots zei dat ze moest blijven tot de oorlog afgelopen was. De Amerikanen konden nu elk moment landen op de kust in Frankrijk, ze zouden de Duitsers wegjagen en dan kwam alles goed. Maar als Maira haar neus buiten de deur liet zien, dan zouden ze alle drie worden opgepakt en naar Polen gestuurd worden, waar de Duitsers hen dood zouden maken.

Dat kon natuurlijk niet waar zijn. Je hoefde iemand niet helemaal naar Polen te brengen als je van plan was hem dood te maken. Die Duitsers hadden allemaal geweren. Nee, in Polen moest je werken. Dus dat van dat leven wagen en leven redden was allemaal geklets. Broeder en zuster Bots hoopten alleen maar dat ze nog meer goud van Maira konden aftroggelen.

Maira wilde helemaal niet blijven. Ze wilde zo snel mogelijk verder naar het zuiden. Ze wist waar ze heen moest.

Haar moeder wist het ook. Had ze soms gezongen: Maira, ga je vader zoeken? Maira, probeer of je je vader kunt vinden? Nee. Voeg je bij je vader, had ze gezongen. Zonder raadsels, zonder twijfel, alsof Maira precies wist waar haar vader was.

En er was ook maar één plek waar Django Rosenberg kon zijn. Bij hun wagen. Haar vader wachtte met Raklo op het boerderijtje in het bos bij de rivier in het zuiden. Aan het Slangenpad, of Adderpad. Nee, dat was het niet... Adderwal. Waar zij hem zou kunnen vinden. Hoe was het ook weer? Ze zweette nog meer terwijl ze nadacht. Ze stonden op de splitsing en haar vader zei dat ze die goed in hun hoofd moesten prenten. En hij zei... tweede links en dan almaar rechtdoor? Of eerste links?

Ze deed haar ogen dicht en luisterde naar haar herinnering. Tweede links. Dat was het. Vanaf de splitsing vlakbij de plek waar ze oom Wasso hadden ontmoet op de dag dat het oorlog werd.

Ze krabde op haar hoofd, waar het zweet kriebelde tussen de nieuwe haartjes.

'Gelukkig,' had zuster Bots gezegd toen ze Maira's hoofddoek afpakte om te wassen. 'Die Duitsers hebben je tenminste grondig ontluisd.'

'Ik had geen luizen!' was Maira uitgebarsten, maar de boer die haar had afgeleverd kneep in haar arm en toen had ze haar mond maar gehouden. Zuster Bots was niet iemand die graag ongelijk had, dat had ze later wel gemerkt. Maira's kleren, die ze zelf expres vies had gemaakt, waren volgens zuster Bots zo vuil omdat haar moeder niets van hygiëne wist. De gouden ring zou haar familie wel gestolen hebben. Haar vader was een oplichter die opgelapte violen voor nieuwe verkocht.

Na die beschuldiging had Maira niets meer over haar vroegere leven verteld. Ze legden toch alles verkeerd uit. Broeder Bots was milder, maar die kon niet tegen zijn vrouw op. En hij vond ook dat Maira bij het minste of geringste onraad op het vlierinkje moest kruipen. Hij zette zelf het schot op zijn plaats dat de schuilplaats afsloot, ook al smeekte Maira om wat meer lucht. Gasten kwamen toch niet op zolder rondsnuffelen?

Maira schrok wakker van een harde klap. De voordeur! Het bezoek was weg. Nu kon broeder Bots haar elk moment komen bevrijden. Ze zou beneden iets te eten krijgen en misschien zou ze zich even kunnen wassen. Er was geen aparte badkamer in huis; de familie waste zich eens per week in de keuken. Ze begrepen niet dat Maira dat weigerde. Maar je kon het vuil toch niet van je lijf wassen waar het eten werd klaargemaakt! Onwillig had zuster Bots haar een oud lampetstel gegeven.

'Veel te mooi voor zo'n zwerfstertje,' had ze gezegd. Maar Maira vulde zo vaak ze kans zag de kan met water.

Voetstappen op de trap. Broeder Bots... en nog iemand! Wie kwam daar? Maira verstijfde. Was er nog een vreemde in huis? Toch geen Duitser? Nee, die maakten meer lawaai.

Op de overloop werd gepraat. Opeens herkende Maira de andere stem. Het was zuster Marta, de dochter die schooljuf was en al een keer eerder was langsgekomen.

Het huis was klein en gehorig. Ze hoorde broeder Bots zeggen: 'Je vindt het zo wel, niet? Niet schrikken als je geluidjes hoort, er nestelt een zwaluw onder het dak.'

'Ik ga morgen niet mee naar de kerk,' zei de dochter. 'Ik wil eens goed uitslapen.'

115

'Foei, kind! Dat kan toch niet. Het is Pinksteren!'

'Ah, toe, Va?'

'Je moeder zal buiten zichzelf zijn.'

'Mijn klas is zo zwaar dit jaar. Zeg jij het alsjeblieft tegen Moe? Zeg maar dat ik hoofdpijn heb. Heb ik ook, het is zo warm.'

'Goed dan. Ga eens aan de kant, zuster Marta, ik moet die koffer hebben.'

Een schuivend geluid.

'Je gaat toch niet op reis?'

'Er zitten oude kleren in. Je moeder wil ze meenemen voor de bazaar van de kerk.'

'O. Nou, slaap lekker.'

Broeder Bots ging de trap weer af. Zuster Marta kleedde zich stommelend uit, en toen ze in bed lag, bleef ze nog een tijd woelen in het krakende houten bed. Maira begreep dat ze niet naar beneden zou worden gehaald. Ze moest de hele nacht op de vliering blijven. Gelukkig had ze zo veel gezweet, dat ze niet meer hoefde te plassen. Maar het was zó benauwd dat ze alleen hijgend adem kon halen.

Zodra de dochter morgen weg was, zou Maira de Botsen vertellen dat ze verder moest. Op deze manier duurde het veel te lang voordat ze haar vader vond.

Zuster Bots keek opgelucht, maar broeder Bots eiste twee gouden munten.

'Waarvoor?' vroeg Maira. Ze was stijf en haar lijf deed op veel plaatsen pijn. De dochter was pas om tien uur opgestaan en daarna had ze nog uitgebreid koffie gedronken. Echte koffie, die alleen voor heel veel geld nog te krijgen was; de geur drong tot op zolder door. Van óns goud gekocht, dacht Maira. Eindelijk kwamen de ouders uit de kerk en toen werd er nog meer koffie gezet. Maira had later alleen een kroes karnemelk en een stuk brood van de vorige dag gekregen, ook al rook het in huis heerlijk naar groentesoep. Maar ze klaagde niet. Ze zou toch weggaan. Ze had de hele middag geslapen, om de tijd door te komen, maar zodra ze beneden kwam had ze aangekondigd dat ze weg zou gaan. Twee gouden munten! Om te vertrekken?! Die gaadzje waren gek!

'Niet zo brutaal, zuster Maira,' zei broeder Bots. 'Ik heb ook mijn onkosten. We kunnen je niet zomaar de baan op sturen. Ik moet vervoer regelen, iemand die we kunnen vertrouwen. Overal zijn verraders. We doen dit met gevaar voor ons eigen leven. Je kunt niet verwachten dat een vrachtrijder lijf en goed op het spel zet voor niks en niemendal. En wat denk je dat benzine kost tegenwoordig?'

'Wie heb je in gedachten?' vroeg zuster Bots met gefronste wenkbrauwen. 'Toch niet je broer?'

'Hij is de enige van wie ik zeker weet dat hij ons niet zal verraden. Of wil je soms de gevangenis in?'

'Je hebt gelijk, broeder Chris. Ik dacht alleen: als ze gepakt worden, komt de SS meteen bij ons.'

'We moeten op God vertrouwen,' zei broeder Bots.

Zuster Bots zuchtte. Toen keek ze Maira scherp aan. 'Je hebt gisteren je gebeden toch wel gezegd?'

Ja, knikte Maira. Bidden deed ze eigenlijk nooit, ook niet in de kerk. Ze had nooit iets te wensen gehad. Maar misschien was het een goed idee ermee te beginnen. Niet op die rare manier van zuster Bots, met allemaal onbegrijpelijke woorden. Maar gewoon uit haar hart. Ze begon meteen, niet hardop natuurlijk: Onzelieveheer, breng me alstublieft gauw bij mijn vader, want ik word ziek als ik nog langer op dat zoldertje moet blijven, ook al bedoelen die gaadzje het heus wel goed...

'En nu weer naar boven, hup,' zei zuster Bots.

'Maar wanneer mag ik dan weg?'

'Kinderen die vragen, worden overgeslagen,' zei broeder Bots.

'Mag ik wat water om me te wassen? En misschien een stukje zeep?'

'Je bent een dure kostganger,' zei zuster Bots. 'Maar vooruit.' Ze sneed een stukje af van het grote stuk Sunlightzeep in de keuken en legde het op een schoteltje met een barst. 'Wees er zuinig mee. De bonnen groeien ons niet op de rug.'

Broeder Bots keek zijn vrouw onderdanig aan.

'Je bent té goed, zuster Margje. Je was zeker ook van plan het kind wat van die lekkere soep te geven?'

En zo kreeg Maira een kom soep mee naar boven. Dun en zonder één stukje vlees, maar zo iets lekkers had ze in lang niet gehad. Door de warme wasem moest ze aan haar moeder denken. Die zou minachtend haar bovenlip krullen als ze hoorde hoe gierig broeder en zuster Bots waren geweest.

Die gaadzje, zou ze zeggen, willen alles voor zichzelf houden.

De aardappels waren van de nieuwe oogst, maar de zakken roken naar schimmel. De vrachtauto had een open laadbak met houten zijkanten. Maira had het bevel gekregen zich niet te verroeren, niet te hoesten of te niezen, en niet te proberen tussen de zakken door naar buiten te loeren.

De broer van broeder Bots was ook een broeder Bots, maar een brommerige. Ook hij had eerst in het goud gebeten voordat hij het vertrouwde.

'Gestolen goed gedijt niet,' zei hij. Deze familie zat vol spreekwoorden.

'Ik geef het u,' zei Maira. 'U steelt het niet.'

Ze zag hoe de eerste broeder Bots een glimlachje inslikte.

Maar de tweede had gesnauwd: 'Mond dicht. Bedelaars wordt niets gevraagd.'

Bedelaars! Terwijl hij haar net twee goudstukken had afgetroggeld! Maira had hem boos aangestaard, maar niets gezegd, omdat de vrachtrijder zei dat ze vast het boze oog had, en ze moest hem niet kwaad maken, want ze had hem nodig.

Daarna hadden de broers haar bedolven onder zakken aardappels en nu lag ze al meer dan een uur te hotsen. De blauwe plekken van de dag op de vliering zaten er nog, en die begonnen opnieuw pijn te doen. Maar Maira vond het best. Ze was op weg naar haar vader! Morgen of overmorgen zou ze bij hem zijn – want ze zou afgezet worden vlak voor de brug naar de stad en dan was het nog een heel eind lopen. En ze moest natuurlijk grote omwegen maken, want Duitsers zouden meteen zien dat ze weggelopen was – kleine meisjes droegen geen hoofddoeken.

'Laat je aan niemand zien,' had broeder Bots gezegd. 'Die grote zwarte ogen verraden je. En die blote voeten.'

In de kamer waar zuster Marta had geslapen, stond een rijtje afgedragen schoenen. Zuster Bots had Maira niet aangeboden er een paar van uit te zoeken. Maar het gaf niet, want het was nog steeds ontzettend warm.

Ze moesten er nu toch wel bijna zijn? Ze hadden vast al uren gereden. Het was een lange rechte weg, met maar af en toe een stukje met bochten en afremmen. Dan kwamen ze door een stadje. Maira kende de namen niet, want met haar ouders was ze nooit zover naar het noorden getrokken. De stad waar ze in een huis hadden gewoond, was het noordelijkste punt. Van dat punt waren ze meestal weer zuidwaarts gegaan. Met een omweg naar het oosten, naar een andere stad aan een andere rivier, waar familie een winkel had. Of door de hoge heuvels, want ten westen daarvan had de wagen van grootvader Nando en grootmoeder Papi de laatste jaren van hun leven gestaan. Door de streek waar ze nu reden, was Maira maar één keer gekomen. Met de trein.

Maar nu moesten ze er toch wel bijna zijn.

Opeens remde de vrachtwagen hard af. Zie je wel, ze waren er.

Toen hoorde ze een barse stem. Een Duitser.

'Halt! Papieren!'

Maira hoorde broeder Bots Twee iets mompelen.

'Zo ver van huis!' zei de Duitsers. 'Wat vervoer je?'

Gemompel.

'Zeg op!'

'Aardappelen.'

'Waarom zo ver?' vroeg de Duitser. 'Worden hier soms geen aardappelen verbouwd?' Terwijl hij sprak liep hij langs de vrachtwagen naar achteren. Maira hoorde het portier opengaan en broeder Bots op de grond springen.

'Zijn dat echt alleen maar aardappelen?' De Duitse stem klonk plotseling akelig dichtbij.

Sommige zakken schoven. En toen zag Maira in het schemerduister een blinkend mes op zich af komen. Het was zo'n mes als soldaten op hun geweer droegen. Ze hield haar adem in en trok haar buikspieren aan. Maar de punt van het mes raakte haar toch, schampte langs haar heupbot en werd toen teruggetrokken.

'Mijn zakken!' riep broeder Bots. 'Een beetje meelij alstublieft!'

Nog een paar keer stak de Duitser op de lading in.

'Het spijt me,' zei hij, terwijl hij weer naar voren liep. 'Maar je maakt de gekste dingen mee tegenwoordig. Overal onderduikers en knokploegen. Ik ben spuugzat van dat Jodentuig.'

'Het is toch verschrikkelijk,' zei broeder Bots Twee. Het klonk alsof hij het meende.

Maira durfde niet te bewegen, maar ze voelde hoe er bloed langs haar heup naar beneden liep. Pijn voelde ze niet, maar ze moest lelijk geraakt zijn.

'Warm hè,' zei de Duitser. 'Er komt vast onweer.'

'Ik moet gauw maken dat ik mijn lading los,' zei broeder Bots. 'Ik had beter mijn dekzeil mee kunnen nemen.'

'Goede rit dan maar,' zei de Duitser. 'Doorlaten!' schreeuwde hij toen, zeker naar zijn collega's.

De vrachtwagen trok op. Maira voelde aan haar kleren. Ze waren doorweekt van het bloed. In de regenmantel zat de zakdoek van de gadzjo van het spek. Maar daar kon ze nu niet bij; de aardappels bovenop haar waren te zwaar. Ze moest wachten tot ze op hun bestemming waren.

Het duurde niet lang of de vrachtwagen minderde vaart en draaide de grote weg af. Ze sloegen een paar keer af, hobbelden een tijdje langzaam voort, draaiden een pad in dat knerpte onder de wielen en stopten. Even later hoorde Maira stemmen.

'Broeder Herman! Wat een verrassing! Moest je in de buurt zijn?' vroeg een vrouw.

'Ja. De Duitsers hebben me opgehouden, ik kan niet lang blijven, maar ik heb de traktaten bij me voor broeder Johan.'

'Mooi zo, ik heb de koffie warm.'

'Ik kom eraan, even naar mijn lading kijken, daar hebben ze in zitten steken met hun bajonetten.'

Zodra de vrouw naar binnen was, werd het gewicht dat op Maira drukte minder en even later werd de laatste zak van haar af getild.

'Zo, wegwezen, jij. Verder ga ik niet.'

Moeizaam klauterde Maira op de grond, haar hand op haar heup gedrukt. Op haar rok zaten donkere vlekken. Gelukkig was hij van zichzelf al donkerrood.

'Ik bloed,' zei ze.

Broeder Bots Twee wierp een vluchtige blik op haar.

'Niets aan te doen. Het zal wel meevallen. Wegwezen nou, voor ze je zien. Broeder Johan en zijn vrouw zijn mijn vrienden, maar ik weet niet wat ze met een weggelopen zigeunerinnetje zouden doen.'

'Ik ben een Sintetza!' zei Maira.

'Ja, het is goed met je. Vooruit, mars!'

Maira graaide naar haar bundeltje en haalde de zakdoek te-voorschijn. Achter een schuur maakte ze een verband van de zakdoek en stopte die in haar onderbroek.

Broeder Bots Twee wuifde met zijn hand naar het noorden. 'Daar loopt de spoorweg. Als je die volgt, kom je vanzelf bij de brug.' Hij wapperde vluchtig naar het oosten. 'En dan vind je het verder wel, hè?' Hij keerde haar de rug toe en begon de aardappelzakken terug te leggen.

Toen zat er niets anders op dan vertrekken.

Maira ging niet langs het spoor. In de stad had ze niets te zoeken. Ze vond een vennetje waar ze haar kleren uitwaste en zelf ook even onderdook; het water was koud maar de pijn werd er minder van. Alleen begon de wond weer te bloeden. Zo vroeg in het jaar was er geen spinrag om het bloeden te stelpen, daarom drukte ze er gauw de zakdoek weer tegenaan.

Toen ging ze weer verder. Ze had het gevoel dat ze naar het zuiden moest. Als de rivier in het oosten lag, moest ze erlangs blijven gaan, maar niet vlák erlangs. Als ze maar door bleef lopen, moest ze vanzelf een plek tegenkomen die ze her-kende.

Ze zocht houtwallen en bosranden op en moest soms een omweg maken om uit het zicht van de boerderijen te blijven. Dit was open land, akkerland. Ze bleef zo veel mogelijk in het bos, maar daardoor dwaalde ze te veel naar het oosten af. En opschieten deed het ook niet. De zon zakte, de lucht werd dik en dreigend en ze moest gauw een slaapplaats zoeken.

Goed, vandaag zou ze haar vader niet vinden. Maar mor-gen zeker!

Ze zwierf van akker naar akker. Het werd melktijd, en daar-na etenstijd; er waren weinig mensen onderweg. Ze waagde het erop een stukje langs een boerenweggetje te gaan. Ze stilde haar honger met melk uit een bus die bij een hek op de melkwagen stond te wachten en knabbelde op worteltjes uit een moestuin. Ze nam een paar aardappels mee langs een akkerrand en stopte ze in de zak van haar onderrok. Rauw kon je ze niet eten, daar werd je ziek van, maar als ze haar vader vond zouden ze vuur kunnen maken en echt koken. Wat zou hij trots op haar zijn!

De schemering viel in, vroeger dan de vorige avond door het heiige weer. Maar elke boerderij had een hond, en zodra Maira zich met één voet op het erf waagde, begonnen ze oorverdovend te blaffen. Moe slofte ze verder. Ze moest toch ergens slapen?

De kleuren waren vaag geworden, en daardoor zag ze het niet.

Opeens schoot er iets sissend langs haar been omhoog. Een slang! Ze had op zijn staart getrapt. Maira sprong opzij. De slang kronkelde alweer verder. Het was een ringslang, ongevaarlijk. Hij moest uit de droge greppel naast het pad gekomen zijn, op zoek naar een poel misschien. Maira nam zich voor beter op te letten.

En daardoor vond ze toen het teken. Bij een splitsing stond een stapeltje stenen dat het grindpad aanwees. Het stond er al lang, het was een beetje scheefgezakt en onkruid was erdoorheen gegroeid, en toch wist Maira zeker dat het een aanwijzing was die door mensen van de weg was achtergelaten. Misschien wel door haar eigen vader!

Zonder na te denken sloeg ze het grindpad in. Het was een goed pad, met bomen erlangs en soms een stukje bos. Ze lette goed op of ze nog meer aanwijzingen zag. En daardoor merkte ze de pijl op die in een paal was gekrast. Er stond nog een teken bij: een gebogen lijn, als een paraplu, met daaronder een rondje. Wat betekende dat ook weer? Maira had de laatste jaren geprobeerd de tekens in haar hoofd te prenten, maar het was nooit belangrijk geweest, meer een spelletje, iets om mee op te scheppen tegen Foeksa.

Een bolle lijn, als een buik... Ja! Dit betekende dat er hier een vrouw woonde die geen kinderen had. Dat kon goed zijn: kinderloze vrouwen waren gul. Zeker voor kinderen.

Maira volgde de pijl. Ze moest ergens slapen. De wond uitwassen.

Het pad kwam uit bij een weitje, omzoomd door houtwallen. Gedekt door de bomen sloop Maira naar het erf. Er was een hond, maar die kwam kwispelstaartend naar haar toe rennen en likte haar handen. Maira grinnikte. Daarom hadden die tekens natuurlijk naar dit boerderijtje gewezen: hier was een vriendelijke hond en waarschijnlijk woonden er ook aardige mensen.

Ze waagde zich verder het erf op. De hond bleef naast haar lopen en snuffelde aan haar bebloede rok. Maira duwde hem weg.

'Vies beest, dat hoort niet, hoor.'

Het huis was niet groot, met een bescheiden deel voor het vee. Verder was er nog een grote schuur en een paar kleinere gebouwtjes. Een waterput, geen hooiberg. Dit was maar een klein bedoeninkje. Maira sloop op de schuur af. Misschien werd daar het hooi bewaard? Als ze ongezien op de zolder kon kruipen... Ze ging naar binnen.

Een vrouw was in het schemerdonker bezig bij een konijnenhok. Ze had haar schort vol paardenbloembladeren. Maira bleef geschrokken staan. Maar de vrouw had haar gehoord, want ze draaide zich om.

'Dag kind. Wat kom jij doen?'

Maira haalde haar schouders een klein beetje op. Ze glimlachte en maakte haar ogen groot. Grote ogen werkten het beste bij vrouwen zonder kinderen.

'Maar je bent gewond!' De vrouw liet de paardenbloembladeren vallen en kwam op haar toe lopen. 'Kind toch, wat is er gebeurd!' Ze bukte om Maira in de ogen te kijken. 'Ach, ik zie het al. Je bent er zó een.'

Dat klonk niet goed. Maira verwachtte dat ze nu weggestuurd zou worden, maar de vrouw zei: 'Kom, we moeten hier niet zo blijven staan. Kom gauw mee naar binnen.'

Ze nam Maira mee naar het huis, de keuken in. Een schone keuken, met bosjes lievevrouwenbedstro en lavendel aan het plafond. Het rook er blauw, vond Maira, en blauw was haar lievelingskleur.

'Kleed je eerst maar eens uit,' zei de vrouw. Ze nam een grote ketel van het fornuis en pakte een zinken teil van een haak. Ze goot kokend water in de teil en vulde het aan met koud water. Grappig, ze had een pomp met een zwengel boven het aanrecht.

'Vooruit, schiet op, kleed je uit. Als een hond je heeft gebeten, moeten we die wond gauw uitwassen.' Ze glimlachte toen Maira zich nog steeds niet bewoog. 'Verlegen, hè? Ik zal niet kijken. Kijk maar, ik draai me om.'

Maar Maira bleef staan zonder te gehoorzamen.

Na een tijdje draaide de vrouw zich weer om.

'Wat is er toch?' Ze keek nu iets minder vriendelijk. Maira begreep dat ze nu echt wat moest zeggen.

'Ik... kan me hier niet wassen. Dat hoort niet.'

'En mag ik dat niet uitmaken, wat er hoort en niet hoort in mijn eigen keuken?'

'Maar... u kookt hier toch het eten?'

De vrouw wees op de keukentafel, waar een mandje modderige bieten stond.

'Natuurlijk.'

'Dan kan het niet,' zei Maira. 'Het hoort niet.' Dat die gadzji dat zelf niet begreep!

De vrouw keek haar peinzend aan. Toen kwam ze in beweging. Ze sleepte de teil voorzichtig door de keuken, naar een deur achterin. Maira kon haar niet helpen – ze wilde de kostbare regenmantel niet loslaten. De boerin draaide de klink open. Achter de deur was een kleine, donkere ruimte.

'De spoelplaats. Kan het daar wel? Ook al ruikt het er naar mest?'

Maira knikte opgelucht. De spoelplaats keek uit op de deel, waar met dit weer geen koeien stonden. Even later had Maira zich uitgekleed en zat ze in de laag lauw water, met een enorm stuk zeep. En geen Sunlightzeep ook, maar witte, die naar lelietjes-van-dalen rook.

Jammer genoeg duurde het genot maar even, want toen begonnen zich rode wolkjes te vormen in het zepige water. De wond was natuurlijk weer opengegaan. Maira stond gauw op. De boerin kwam haar een handdoek brengen.

'Het is een oude, het geeft niet als er vlekken in komen. Trouwens, ossengal hebben we genoeg hier.'

Ze verdween met Maira's kleren. Even later bracht ze een andere rok, een groene, met een bijpassende hoofddoek, en een mooie witte bloes met een kanten kraagje. Ze lachte toen ze Maira's gezicht zag.

'Je moet zolang mijn zondagse bloes maar aan.' Ze aaide Maira over haar hoofd. 'Arm kind. Die ellendelingen doen toch ook maar. Je had vast heel mooi haar.'

Maira knikte. 'Maar niet zo lang als mijn moeder. En Patsja, díé heeft pas mooi haar – had, bedoel ik. Ze was het liefje van mijn broer, niemand wist het, alleen ik. Maar nu is ze getrouwd met een ander.'

De boerin schudde haar hoofd. Ze opende een blikken verbandtrommel en haalde er gaasjes uit.

'Mag ik het doen?' En dat vond Maira toen helemaal niet erg.

Ze moest een heleboel eten – eerst koekjes, en toen de boer binnenkwam bietjes en stoofvlees en aardappels – meer dan haar maag aankon. En daarna mocht ze gaan slapen, in het hooi. Ze kreeg zelfs een deken mee. De hond kwam haar gezelschap houden.

'Morgen moet je weg,' zei de boer, een grote man met een grijze snor. 'We zouden je graag houden, maar het kan niet. Er zitten hier verraders in de buurt. Anderhalf jaar geleden vielen landwachters bij de Boshoeve binnen, hier verderop.'

Maira wenste dat die man wegging. Haar volle buik maakte haar zo slaperig dat ze zittend in slaap zou kunnen vallen. En de heerlijke geur van hooi maakte haar hoofd nog zwaarder.

'Het Jodenbosje noemen we dat. Er zaten Joden verstopt, begrijp je? Ondergedoken in een hut in het bos. Veldwachter Wiechers heeft ze nog gewaarschuwd, maar ze lieten hem praten. Nou, ze zijn dus bijna allemaal opgepakt en naar de kampen gebracht. De boer werd pas maanden later vrijgelaten. Dus je snapt wel... Ik heb eerst aan mijn vrouw te denken. Ik kan het risico niet nemen. Anders hielden we je wel. We hebben zelf geen kinderen en...'

Maira gaapte.

'Nou, welterusten,' zei de boer. 'Je mag de hond gerust hier houden, hoor. Erg waaks is hij toch niet.'

Maira maakte een holletje voor zichzelf en legde haar arm om de hond heen. Ergens die nacht verdween hij, maar ze merkte het pas toen ze wakker werd.

Ze had in tijden niet zo heerlijk geslapen. Normaal werd ze wakker als het licht was, maar nu was de zon al op en de koeien waren gemolken, want ze hoorde melkbussen rammelen. Ze stond op, vouwde de deken op, schoot het bos opzij van de hooischuur in en waste zich daarna een beetje bij de put. De groene rok vertoonde geen bloedvlekken; de wond zou wel gauw dichtgaan. Ze had geluk gehad. Wat zou haar vader lachen als hij hoorde dat een Duitser haar bijna aan het spit geregen had! Als een speenvarkentje! zou hij zeggen.

Ze pakte haar bundeltje, dat ze zolang op het konijnenhok had gelegd, liep naar het huis en klopte op de keukendeur, die bijna meteen openging.

'Ben je er nog?' vroeg de boerin verbaasd. 'Heeft mijn man niet gezegd dat je met de vogels op moest staan?'

'Ik wou net gaan,' zei Maira. 'Maar mijn kleren... En...' Ze stak de vrouw de deken toe.

'Hou deze maar aan,' zei de vrouw. 'Ik heb de vlekken nog niet uit je rok kunnen krijgen. En weet je wat? Hou die deken ook maar.'

'Dank u! En weet u misschien... ik moet naar de Adderwal. Is dat ver hier vandaan?'

De vrouw staarde haar aan zonder iets te zeggen.

'Het is een klein boerderijtje, verscholen in een bos. Zoiets als dit. De boer heet Wansing – Wansink, zoiets. Mijn vader is daar.'

De vrouw sloeg haar handen tegen haar wangen.

'Nee! De dochter van Anton Rosenberg!'

Nu was het Maira die staarde.

'Hij is weg,' zei de vrouw. 'Hij is hier maar een dag geweest, net als jij. Ze hadden zijn wagen in beslag genomen, zie je. Jullie wagen. Die lui van de SD of landwachters of hoe dat verradersvolk zich ook noemt. En toen je vader kwam, konden we hem hier echt niet houden. Misschien heb je gehoord wat er op de Boshoeve is gebeurd? Die arme mensen! En wij moeten toch ook aan onszelf denken.'

Maira kon nog steeds niets zeggen. Dus dit was de Adderwal? Hier had hun wagen gestaan?

'En ons paard?' vroeg ze. 'Raklo, ons paard?'

'De lieverd,' zei vrouw Wansink. 'Ik was echt aan hem gehecht geraakt. Je vader is op hem weggereden. We hebben hem nog gewaarschuwd – hij viel veel te veel op – zonder zadel en met die zwarte haren van hem... Maar hij moest en hij zou.'

Maira's stem deed het niet meer. 'Waarheen?' hijgde ze.

'Dat zou je aan de veldwachter moeten vragen. Man!' riep ze opeens, en de boer kwam om het huis heen aanlopen. 'Waar heeft Wiechers die zigeu– Anton Rosenberg heen gestuurd? Dit is zijn dochter.'

Maira moest binnenkomen, ze kreeg koffie en koek en het hele verhaal. Haar vader was hier geweest, twee weken geleden, en toen hij had begrepen dat de boerderij in de gaten werd gehouden door de NSB'ers in het dorp, was hij er meteen de volgende ochtend vandoor gegaan. Maar ze hadden hem verteld waar hij zich kon verstoppen: in een hol in de heuvels, waar nog meer mensen verscholen zaten.

'Gelukkig kunnen de Amerikanen elk moment komen,' zei boer Wansink. 'Die rossen die moffen ons land wel uit!' Hij knikte tevreden. Alsof daarmee alles goed was. Alsof ze daarmee hun wagen terugkregen. Alsof ze daarmee haar vader terug had.

Maira stond op.

'Ik moet weg,' zei ze. 'Ik moet mijn vader zoeken.'

'Maar dat is toch veel te ver!' riep de boerin. 'Dat haal je nooit, zo alleen dwars door de bossen. Op je blote voeten en met overal die verraders.'

'Ik weet wat,' zei de boer. 'Veldwachter Wiechers moet haar maar brengen, achterop zijn dienstfiets. In zijn uniform wordt hij niet aangehouden.'

'Helemaal naar de Mark? Dat...' begon zijn vrouw.

'Stil, mens,' zei de boer. 'Wat ze niet weet, kan ze ook niet verklappen. Hé – waar ga je heen? Blijf staan!'

Maar Maira was al weg.

Spookuren

31 mei – 1 juni 1944

Het was bloedheet, het leek wel midzomer. Drie weken geleden had het nog gevroren. Alles stond op zijn kop. Toen had Maira nog met haar familie veilig in een huis gewoond. En nu had ze niets en niemand meer.

Ze had al uren gelopen. Eerst hard, met roffelende voeten, om aan boer Wansink en zijn vrouw te ontkomen. Die veldwachter had een fiets, hadden ze gezegd. Daarom was Maira tussen de akkers en velden doorgerend. Ze was een beekje overgestoken, waar ze haar kroes had gevuld zodat ze tijdens het lopen kon drinken. Na een tijdje was ze opgehouden met rennen, om niet al te veel op te vallen. Toen ze een weitje overstak had ze ineens in een wolk muggen voor een poel gestaan, waar lome koeien uit stonden te drinken. Daarna hield ze zich maar aan de paden en weggetjes.

Bij een watermolen in een andere beek rook het naar vers brood. Maira had een bakkersfiets zien staan; ze had snel de klep opgetild en er een paar broodjes uit genomen. Daarna was ze gauw linksaf langs de beek gehold. Ze bleef zo veel mogelijk op de zandpaden, waar die veldwachter niet zo makkelijk vooruit zou kunnen komen. Ze had een voorsprong; die mensen hadden de politieman natuurlijk eerst nog moeten halen.

Boer Wansink en zijn vrouw waren aardig. Maar als ze dachten dat een kind van de weg met een politieman zou meegaan, waren ze niet goed bij hun verstand. Nederlandse politiemensen hadden hen uit hun bed gehaald, hen in een vrachtauto gepropt, hen naar het prikkeldraadkamp gebracht!

Maira was kriskras om akkertjes en door bosjes heen gelopen. Wel aldoor naar het westen, want daar moest ze heen,
dat had ze uit de woorden van vrouw Wansink begrepen.
Maira kende het gebied waarover zij het had gehad. Eerst het
kanaal over en dan verder door de bossen. Helemaal precies
wist ze de weg niet meer, maar ze zou het wel herkennen als
ze er was. En haar vader had natuurlijk tekens achtergelaten.

Ze moest een eind langs het kanaal tot ze aan een brug kwam.
En net toen kwam er een legerkonvooi langs! Maira dook
in een vlierbosje en bleef liggen tot lang nadat het dreunen
van vrachtwagens was verstomd. Aan de overkant zocht ze
zo snel mogelijk weer de beschutting van bomen op. Bij elke
kruising keek ze scherp of ze stapeltjes stenen zag, of tekens
in een wegwijzer gekrast. Er waren er wel, maar de kerven waren groen bemost; haar vader moest een andere weg hebben
genomen.

De aardappels van de vorige dag had ze maar weer wegge-
gooid, want ze hinderden haar bij het lopen en ze had er rauw
toch niets aan. Misschien kon ze iets vinden dat wél te eten
was. Bij de ingang van de volgende boerderijen keek ze wat er
onder aan de posten van het hek gekrast stond. De zigzaglijn
links die aangaf dat er een boze man woonde... De bek met
tanden van een gevaarlijke hond... Eindelijk zag ze het teken
dat aangaf dat alles veilig was. Maira schoot het erf over en
ratste snel wat meiknolletjes uit de moestuin.

Ze schoot snel op door het bos. Als ze zich goed herinnerde, zou ze straks aan een heideveld komen, en daar moest ze
goed uitkijken. Ze zou het fluitje van haar familie gebruiken,
het fluitje dat klonk als *Waar ben je, waar ben je?* Haar vader
zou het horen, zijn hoed in de lucht gooien en op haar af komen rennen. Wat zou hij trots zijn dat Maira die veldwachter
had afgeschud!

Het leek verder dan de vorige keer. Haar voeten begonnen te branden. Haar vader had het lekker makkelijk gehad, die had Raklo.

Plotseling stond ze voor een verkeersweg. Ja, deze weg waren ze vroeger wel eens overgestoken als ze naar grootvader Nando en grootmoeder Papi reisden. Maira wachtte tot er geen verkeer was en schoot toen de weg over. Om een hoeve heen... Een met keien verhard weggetje liep recht door het bos naar het westen; het kwam haar bekend voor. Om haar voeten te sparen liep ze door het zachte bosgras langs de kant. Karren en fietsen op houten banden hoorde ze van ver aankomen; dan dook ze weg. Tussen de boomtoppen werd het eindelijk lichter; daar zou de heidevlakte wel zijn.

Maar het waren akkers, en boerderijen! Maira schrok. Was ze verkeerd gelopen? Ze ging het eerste het beste zijpad in, dat een beetje heuvelop liep. Weg van dat dorp!

De lucht betrok en het begon te waaien. In de verte weerlichtte het. Maira moest haar vader vinden voor de bui kwam!

De mensen kwamen van hun akkers terug, haastig, omdat ze onweer voelden aankomen. Ze keken verwonderd naar Maira, wantrouwig. Dat kwam door haar ogen en haar blote voeten... Ze vouwde haar hoofddoek zo, dat er een rand over haar voorhoofd uitstak en haar ogen verborg.

Bij een splitsing ging ze linksaf, achter de akkers langs. Het onweer kon elk moment losbreken; ze zou haar vader vandaag niet meer vinden. Tussen een akker en een weiland zag ze een diepe greppel lopen, beschut door een rij bomen. Hij was gevuld met een dikke laag bladeren, kurkdroog door het warme weer. Een mooie schuilplaats. Er kwam niemand aan, dus kroop ze onder het prikkeldraad door. Ze liep een flink stuk door de greppel en zocht een plekje onder een overhangende boom. Een esdoorn, fijn! Haar vader noemde die boom zijn beste vriend, omdat hij stroop gaf en goed hout om violen van te maken. Onder een esdoorn leek het alsof haar vader dichtbij was. Maira schopte door de bladeren om zeker te weten dat er geen adder onder school. Ze voelden lekker warm aan. Ze leunde tegen de kant van de greppel. Ze had een regenmantel tegen de nattigheid en als het kouder werd een deken – wat kon haar gebeuren?

Ze rolde de jas uit en wroette in de voering tot ze haar moeders schaar te pakken had, de mooie zilveren die Bloema nooit uit handen gaf. Ze keek er een tijdje naar. Wat betekende het, dat zíj die schaar nu had?

De donder kwam dichterbij, en volgde steeds sneller op de bliksemflitsen. Wat een onweer! Maira drukte zich dicht tegen de aardwal. Met zulk onweer zou de hele familie in de wagen schuilen. Er zou een pan soep op het vuur staan, Kersja en Krasa zouden kibbelen om de kleurpotloden en haar moeder zou aan haar bloemen werken. Falko zou op zijn gitaar een wijsje uitproberen – nee. Dat niet.

Maira wilde niet huilen, en dus deed ze het niet. En trouwens, het kriebelde op haar onderrug. Het leek wel alsof alle torretjes en kriebelkevertjes uit de buurt onder haar jas waren komen schuilen. Als ze zich verroerde, zou ze nat worden, want het begon uit de bladeren te lekken, dus hield ze zich stil en verdroeg de kriebel.

De bliksem kwam zo dichtbij, dat ze hem hoorde knetteren. Toen bliksemde en donderde het vlak boven haar hoofd! Maira trok haar hoofd tussen haar schouders, kneep haar ogen dicht en wachtte op het kraken van haar boom. Maar er gebeurde niets. De volgende donderslag kwam van iets verder weg. Maira durfde weer een beetje te ademen. Het onweer trok verder.

Na een heel lange tijd werd het droog, maar de bladeren in de greppel waren nu klam en kledderig. Het begon donker te worden, en kil. Maira staarde uit over de velden. Ze rook wilde zwijnen. Als er nou maar geen kwam als zij lag te slapen!

Uit de dichtstbijzijnde boerderij schoot ineens een straal licht; er moest een scheur in het zwarte papier voor een van de ramen zitten. Het dorp was dichterbij dan ze had gedacht; ze hoorde de stemmen van jongens en meisjes die elkaar achternazaten.

Maira krulde zich op in de bladeren. Ze was nog nooit een nacht buiten geweest. Alleen haar broers hadden wel eens onder de wagen mogen slapen. Haar lichaam was moe, maar haar hoofd bleef waakzaam. Ze schrok op van elk geluidje.

Bovendien zag ze, als ze in slaap viel, steeds haar vader rijden, op Raklo. Voor haar uit, net te ver om naar hem te fluiten. Wacht op mij! riep ze, maar hij hoorde haar niet. Maira rende en rende – en werd weer wakker. En dan hoorde ze het ritselen om haar heen, en moest ze heel strak naar de dichtstbijzijnde boerderij kijken om niet bang te worden. Koud kreeg ze het ook. Klamme bladeren waren niet zo warm als hooi. De derde keer dat ze wakker werd was ze door en door verkild. De wond in haar zij stak. Ergens dichtbij ritselde een dier. Was het een slang? Een wild zwijn? Of alleen een muis? Maira begon te rillen, ze kon het niet tegenhouden. Zou deze nacht ooit voorbijgaan?

Het rillen werd schudden. Op haar rug begon het weer te kriebelen. Maira maakte haar rok open. Het verband van vrouw Wansink was verschoven en toen Maira het naar haar ogen bracht, zag ze een heel leger kleine kruipbeestjes die bezig waren van de bloedkorsten te eten. Ze gooide het verband zo ver mogelijk van zich af. En daarna wreef ze als een gek langs haar zijden en haar rug om de insecten kwijt te raken.

Daarna stond ze even naar de omgewoelde bladerhoop te kijken die ze als een bed had willen beschouwen. Nee, daar zou ze nu niet meer kunnen slapen. Ze liep terug en volgde het weggetje in de richting van het dorp. Eng idee, dat iedereen sliep... Alsof Maira niet meer bij de mensen hoorde.

Ze ging de heuvel op, want tegen de lucht afgetekend zag ze een kerkje staan. Ze holde erheen. Een kerk was altijd open... Maar de deur was op slot. Ze liep om het gebouwtje heen. Er was een aparte kamer aan het grijze kerkje gebouwd. In de oksel tussen de aanbouw en de kerkmuur ging ze zitten. Hier zat ze uit de wind, niemand zou haar zien, en de heiligen zouden haar beschermen. Ze wikkelde zich in deken en jas en probeerde te slapen.

Toen sloeg de klok boven haar hoofd. Opeens ging ze rechtop zitten. Twaalf uur! En een kerk had een kerkhof... Ze tuurde in het donker.

Op een kerkhof moest je uitkijken. Haar grootmoeder had eens een eng verhaal verteld over zo'n plek. Een man had uit armoede zijn paarden verkocht (vertelde grootmoeder Dotsji). Op de terugweg sneed hij de weg af en ging dwars door de bossen, ook al was het al donker. Hij vertrouwde op de sterren, maar hij verdwaalde toch. Midden in de nacht kwam hij aan een weitje. Het gras was zacht en vlierstruiken rondom zorgden voor beschutting. Hij legde zijn hoofd op een grote steen en sliep in.

Midden in de nacht hoorde hij een stem. 'Koko Kokalo!' Er zat een man naast hem op de steen. 'Wil je wat voor me doen? Plant een morgenster op het eerste graf dat je morgenochtend ziet, dan vind ik rust en jou zal het goed gaan.' Toen verdween de man en Koko Kokalo begreep dat het een geest was geweest. 's Ochtends zag hij dat hij op een grafsteen had geslapen. Hij sprong op en rende weg.

In het dorp vertelden ze hem dat de man een zelfmoordenaar was die bovendien zijn eigen vrouw en kinderen had vermoord. Koko Kokalo werd bang en vergat de morgenster te planten. Toen hij terugkeerde bij zijn wagen, bleek hij al zijn geld verloren te zijn. Zijn vrouw en kinderen waren ziek geworden, ze stierven en hij kwam er nooit meer bovenop. Hij zwierf door de wereld met een morgenster in zijn zak, maar hij vond het graf nooit terug…

Maira huiverde. Zo'n verhaal was mooi bij een vuur, met je familie om je heen. Niet in het spookuur bij een kerkhof! Toch durfde ze zich niet te verroeren. Zolang ze met haar rug tegen de kerk zat, werd ze beschermd door Moeder Maria en de heiligen. Voor de zekerheid hield ze haar ogen wijd opengesperd. Straks werd ze nog door een geest verrast.

Hij greep haar! Maira schoot overeind en sloeg van zich af. Ze zag eerst niets; de geest loste op in wit licht. Pas toen haar ogen gewend waren, zag ze de man in het zwarte uniform. Ze probeerde overeind te komen, maar raakte verstrikt in de deken.

'Stil, meisje. Schreeuw niet zo. Ik doe je niks.' Hij liet haar los. Nu Maira beter keek, zag ze dat het een postbode was. Zijn fiets met de posttas stond tegen de hoek van de aanbouw. Ze trok gauw haar hoofddoek dieper over haar ogen en grabbelde haar spullen bij elkaar. Haar ogen schoten heen en weer. Maar de man versperde haar de weg. Ze zat klem in de hoek. Wat was ze stom geweest! Zo kon ze geen kant op!

'Sssj,' zei de postbode, hoewel Maira niet meer geschreeuwd had. 'Niet bang zijn. Je bent onder goed volk. Ik breng je bij de dominee, is dat goed? Zijn vrouw is bezig pannenkoeken te bakken, heb ik geroken. En hij weet wel een veilig plekje voor je te vinden. Ssst, niet verder vertellen.' Hij knipoogde. Hij pakte zijn fiets en begon de heuvel af te gaan. 'Zie je wel? Ik dwing je niet. Kom maar als je zin hebt.'

Toen durfde Maira hem te volgen. Het was inderdaad niet ver naar het huis, want ze rook de pannenkoeken al. Even later zat ze knipperend van verbazing tussen een stel kinderen aan tafel. Ze was nog steeds niet goed wakker.

'Waar was jij heen op weg?' vroeg de domineesvrouw toen de kinderen naar school waren.

'Laat maar, kind, dat hoef je niet te vertellen,' zei haar man. 'Ik geloof dat ik het wel weet bovendien. Jij komt van de Adderwal, of niet? Ontsnapt uit het doorgangskamp, en op weg naar het duikhol. Maar je bent te ver doorgelopen. Je had aan de andere kant van de grote weg moeten blijven.'

Hoe wist hij dat allemaal? Maira vergat te kauwen.

De dominee glimlachte. 'Ik kreeg gisteren een boodschap van een vriend. Of ik wilde uitkijken naar een meisje op blote voeten met een groene hoofddoek. In alle dorpen in de omgeving kijken mensen naar je uit. Het is nog een wonder dat je zo ver gekomen bent.'

Maira stond op, haar bundeltje in haar handen geklemd. Ze schatte de afstand naar de buitendeur.

De dominee schudde glimlachend zijn hoofd.

'Niet bang zijn. Een vriend, zei ik toch? Veldwachter is hij, de brave Wiecher, maar hij heeft niets op met de bezetter. Hij heeft al vaker mensen geholpen. De oorlog kan niet lang meer duren, de Amerikanen komen eraan, en dat maakt veel mensen dapper. Maar onze Wiecher was er van het begin af aan bij.'

Maira aarzelde. Keek nog eens naar de deur.

'Kom, ga zitten. Als je nou eerst rustig je pannenkoek opeet, dan zal mijn oudste zoon je dadelijk naar het schuilhol brengen. Hij zou er toch heen, met voedsel.'

Maira's billen deden pijn van de bagagedrager, toen ze eindelijk af mocht stappen. Houten banden veerden niet echt lekker. Ze bleef onzeker staan en trok de gehaakte omslagdoek die ze van de domineesvrouw had gekregen dichter om zich heen. Haar linkerarm deed pijn van de mand met eten die ze droeg. De jongen was zwijgzaam geweest onderweg, ook omdat het vaak heuvelop ging en hij zijn adem nodig had. Maira had niet veel van de weg gezien, want zodra ze in het bos waren gekomen, had hij haar geblinddoekt.

'Wat je niet weet, kun je ook niet verraden,' zei hij. Hetzelfde had boer Wansink gezegd – misschien hoorden ze allemaal bij elkaar: boer Wansink, de boer van de Boshoeve, veldwachter Wiecher, de dominee en zijn zoon. Ze hielpen mensen onderduiken, had de dominee uitgelegd. Net als haar grootmoeder Dotsji. Maar die was gepakt.

De jongen pakte de zware mand van haar af en nam haar bij de arm. 'Til je voeten goed op. Pas op voor boomwortels en takken.'

De fiets bleef achter. Ze liepen zo te horen dwars door het bos. Na een tijdje werd het iets lichter.

'Zo,' zei de jongen. Hij floot een herkenningsfluitje en deed haar de blinddoek af.

Eerst zag Maira niets bijzonders. Een paar heuveltjes op een open plek. Maar toen ontwaarde ze diepe sleuven die uitgegraven waren in de bosgrond. En toen ze dichterbij kwam, zag ze dat de heuveltjes eigenlijk plaggendaken waren. Een van de zanderige gangetjes liep naar een lage doorgang. Als hij niet rechthoekig was geweest, zou je denken dat er het hol van een dier achter zat. Ze sprongen de loopgraaf in en de jongen verdween in het donker.

Even later kwamen er mensen tevoorschijn door de lage toegang. Ze bekeken Maira vriendelijk. Een man, een vrouw en een jongetje die duidelijk bij elkaar hoorden, twee jongemannen en een oude vrouw.

Haar vader niet.

'Welkom,' zei de oude vrouw met gedempte stem. Ze stak haar hand uit. 'Ik ben Betty, en dit zijn mijn zoon en schoondochter, Maarten en Judith, en mijn kleinzoon Peter. We delen het huis met Ko en Jan. Geen achternamen, voor de veiligheid. Hoe heet jij?'

Maira deed haar mond open en klapte hem weer dicht. Deze mevrouw Betty was de eerste sinds haar ontsnapping die haar naam had gevraagd.

'Dan komt het later wel,' zei Betty.

'Ik heet Maria,' zei Maira. 'Django – Anton is mijn vader. Waar is hij?'

De jonge vrouw en het kleine jongetje verdwenen naar binnen.

'Ze hebben honger,' glimlachte de oude vrouw. 'En het is overdag ook veiliger om binnen te blijven. Kom. De koffie is koud, want we mogen overdag geen vuur maken, en het is ook geen echte, maar we hebben genoeg.' Nu gingen ook de jongemannen het hol weer in. De domineeszoon verscheen in de opening en wenkte.

'Waar is mijn vader?' hield Maira aan.

'Eerst naar binnen, jij,' zei de domineeszoon ongeduldig. 'Wil je ons allemaal in gevaar brengen? En praat niet zo hard. Overdag alleen fluisteren.'

Onwillig ging Maira door de lage deur, die gestut was met een balk. Ze viel bijna voorover, want erachter waren een paar treetjes uitgehakt in de zandgrond. Daardoor was de ruimte hoger dan ze had gedacht. Het was schemerig, want het enige licht kwam door de ingang. De wanden waren gestut met stammetjes en er stonden een paar bankjes van doorgezaagde boomstammen waarop de anderen waren gaan zitten.

'De huiskamer,' zei Betty, die koffie uit een emaillen kan in verschillende kroezen schonk. 'Er zijn ook nog drie slaapholen. Jij kan wel bij mij. Ik zie dat je een deken bij je hebt, dat is goed. Helemaal aan het eind van de gang is de wc. Wel graag een schep zand erop gooien als je geweest bent. En nooit hardop praten in het bos. O ja, en ook geen vuur. Judith en ik koken om beurten na zonsondergang.'

'Wie ruziemaakt, ligt eruit,' zei haar zoon, Maarten. 'Daar moeten we streng in zijn.'

'Maar mijn vader,' zei Maira.

'Ja, je vader,' zei Betty. 'Anton heet hij, niet? Hier, je koffie.' Maira pakte de mok aan. De zogenaamde koffie was ontzettend vies. Hij smaakte naar modder.

'Waar is hij?' Ze wilde niet gaan zitten voor ze het wist.

Een van de jongemannen haalde zijn schouders op.

'Geen idee. Hij is hier nooit aangekomen. Er zijn ook geen berichten dat hij gepakt is. We weten het gewoon niet. Verderop hebben de Duitsers een kazerne met een groot schietterrein. En daar in de buurt is ook een Duits vliegveld. Misschien is hij daar per ongeluk terechtgekomen.'

'Maar we hebben hier vlakbij toch dat paard gevonden, Ko,' zei degene die dan zeker Jan was. Maira keek hem met een ruk aan.

'Jan...' zei Betty. Haar toon maakte Maira ongerust.

'O ja, over dat paard,' zei de domineeszoon. 'De boeren in het dorp hadden geen extra paard nodig. Het was vel over been en nog taai ook; de slager heeft er worst van gedraaid.' Tot Maira's ontzetting wees hij op de mand. 'Het meeste heeft mijn moeder voor jullie meegegeven.'

Ze was bij paardenvleeseters terechtgekomen! En het vlees kwam van een dier dat ze in het bos gevonden hadden. Zonder ruiter.

'Hoe zag dat paard eruit?' vroeg ze. Ze vroeg het aan de oude vrouw. Die zou niet tegen haar liegen.

'Bruin,' zei Betty. 'Niet zo hoog.'

'Met zwarte manen,' zei Jan. Hij keek naar de mand. Maira kon het opeens rúíken, dat paardenvlees. De wereld tuimelde op zijn kant en ze zag de grond op zich af komen.

Zodra de schemering diep genoeg was, klom Maira het hol uit, trok haar zwarte omslagdoek om zich heen en sloop tussen de dennen door, weg van het schuilhol. Wonen in een hol! Een kind van de weg kon je net zo goed in de gevangenis zetten.

En dan die paardenvleeseters! Alleen Betty vond Maira wel aardig. Ze had gemerkt dat de oude vrouw niet van de worst had gegeten. Zij had Maira proberen te troosten: 'Het is vast jullie paard niet. Je vader is verder de heuvels in getrokken.' Maar het had niet geholpen. Juist nu het schemerde verlangde Maira ontzettend naar haar vader. Zó erg, dat het pijn deed in haar keel.

Ze kwam bij een heideveld en staarde uit over de vlakte. Was dit de hei die ze had gezocht? Waren ze hier vroeger langsgekomen, als ze met de wagen naar haar grootouders Nando en Papi trokken? Dan moest er daar verderop een pad lopen. Maira kon hun wagen bijna zíén, haar moeder liep ernaast met een mand op haar heup, Kersja aan haar hand. Elmo en Manito liepen te dollen, en daarachter kwam Falko met zijn gitaar... Ze knipperde met haar ogen, het beeld werd waterig.

Nu, dacht ze. Nu moet Tata daar aan komen galopperen, dwars over de hei naar mij toe. En hij springt van Raklo's rug en hij zwaait met zijn nieuwe hoed en hij roept 'Engeltje! Wat heb ik je gemist!' En dan is dat hol niet zo verschrikkelijk meer.

Erger dan het hol waren de mensen. Maarten had gezegd: 'Wie ruziemaakt, ligt eruit.' Dat gold dan zeker alleen voor Maira. Want de anderen leken allemaal boos op elkaar. Dat had ze al meteen gemerkt toen ze bijkwam en stilletjes op een van de bankjes lag te kijken hoe de anderen zoveel mogelijk van het eten zo snel mogelijk in hun maag probeerden te krijgen. Raklo! Maira werd er misselijk van.

Maarten vond dat Jan een te groot deel van het eten inpikte. Hij probeerde Petertje de lekkerste hapjes toe te spelen. Dat had Jan woedend gemaakt. Hij had zelfs geschreeuwd, waar Ko boos om was geworden.

'Moeten we allemaal gepakt worden?'

'Maar die vuile schraperige jood pikt alles in voor dat huilebalkje!' had Jan geroepen.

'Wát zei je daar?!' vroeg Betty toen, en Jan had het niet durven herhalen. Toch weigerde hij bakzeil te halen en bleef stug in de woonkamer zitten, zodat Maarten in zijn eigen hol op zijn bed ging liggen en Judith zenuwachtig tussen de twee ruimtes heen en weer liep.

Ko en Petertje waren van de worst blijven eten. Maar toen Petertje jolig werd van het volle gevoel in zijn buik, had Ko gedreigd dat hij hem 's nachts buiten op de hei zou achterlaten, voer voor de wolven. Dat had Judith net gehoord, en zij was tegen Ko uitgevallen.

Naar Maira had niemand omgekeken. Ze had Petertje proberen te vertellen dat er helemaal geen wolven woonden op de hei, maar het jongetje had gedaan alsof ze niet bestond.

Toen was Maira het hol uit gelopen. Weg bij die vreemden met hun geruzie. En nu zag ze daar over de Mark haar vader aan komen rijden op Raklo... Ze probeerde zijn gezicht te zien, maar het lag verscholen in de diepe schaduw van zijn hoed.

Ze likte haar lippen nat. Over de stille hei floot ze hun fluitje: *Waar ben je? Waar ben je?*

'Ben je gek geworden!' Maira schrok verschrikkelijk; even kon ze zich niet bewegen. Maar toen ze werd beetgegrepen, voelde ze meteen dat het geen geest was. En ook geen veldwachter. Het was Ko.

'Wil je ons allemaal verraden? Wat als iemand jou hier ziet? Het stikt hier van de stropers! Er kan maar zo een verrader tussen zitten.'

Hij sleurde haar mee naar het hol. Betty stond al te wachten in de sleuf bij de ingang. Ze nam Maira mee naar binnen en gaf haar een bord warme hutspot. Maira schudde zwijgend haar hoofd. Ze hoefde hun eten niet.

'Ik heb er nu al spijt van,' zei Ko. 'Dat zwerverskind jaagt ons nog allemaal de dood in.'

Betty had hem niet tegengesproken, en Judith en Maarten ook niet. Alleen Jan had onverwacht gebromd: 'Hou je kop, man, straks gaat ze nog janken.'

Maar huilen had Maira pas later gedaan, toen iedereen sliep en ze naar het snurken van Betty lag te luisteren. Niet om de onaardige woorden, zelfs niet om Raklo. Maar omdat ze spijt had, zo'n verschrikkelijke spijt! Waarom had ze de gele hoofddoek op de Adderwal achtergelaten? De mooie stof van haar moeder, waar ze zo graag een jurk van had willen hebben. De stof waar ze soms stiekem aan had gevoeld als ze alleen met Foeksa in de wagen zat. Die had ze zomaar achtergelaten bij een vreemde vrouw die hem ongetwijfeld weg zou gooien omdat de zijde niet meer schoon te krijgen was. Alsof Maira haar moeder zelf in de steek had gelaten, zo voelde het.

Maar zo was het natuurlijk ook. De deuren schoven dicht, de grendels klapten neer... en Maira was ervandoor gegaan.

Eindelijk

mei 1945

'Tot ziens,' zei Maarten. 'Laat nog eens horen of je je familie gevonden hebt.' Hij sloeg zijn arm om Judith heen en trok zijn zoontje naar zich toe. Alsof zijn gezin een jas was, dacht Maira, een warme jas tegen de kilte. Ze klom op de kar en zocht een plekje tussen de zakken.

'Gaan jullie echt niet mee?' vroeg ze.

Betty schudde haar hoofd. 'Dat weet je toch. We kunnen nog niet naar de hoofdstad reizen. We krijgen geen reispas. We zitten hier vast.'

Ze noemden het bevrijding. Maar er waren nog steeds soldaten overal, en je mocht niet gaan waar je wilde.

De kar zette zich in beweging. Maira zwaaide halfhartig naar de mensen met wie ze een jaar lang had geleefd alsof het familieleden waren. Een jaar hadden ze het met elkaar uitgehouden, en nu wisten ze niet hoe gauw ze van elkaar af moesten komen. Alleen Betty keek nog even om en zwaaide.

Maira was weer in haar eentje, op weg naar een vreemde stad. En ze moest maar zien hoe ze zich redde. Zij moest maar zien of ze haar grootmoeder terug zou vinden.

De dominee had gezegd van wel. Die beweerde dat hij grootmoeder Dotsji aan de telefoon had gehad. Dat ze helemaal niet naar Polen was gestuurd. Dat ze verstopt had gezeten en nu weer was opgedoken. Maar Maira wist niet of ze hem kon geloven. Misschien wilden ze gewoon van haar af, nu het vrede was. Het goud was op. In de loop van het jaar had ze het beetje bij beetje aan hun helpers gegeven, om eten en kleren en dekens van te kopen. Ze had goed opgepast dat niemand wist hoeveel er in de voering van de regenmantel zat. Die was intussen vuil en gescheurd. Maar er zaten nog steeds een paar rijksdaalders in genaaid.

Maira voelde tranen over haar wangen lopen. Woedend haalde ze haar neus op. Hoe kon ze huilen om die vreemden, terwijl ze niet eens had gehuild toen ze haar eigen familie kwijtraakte!

In de maanden dat de Amerikanen, de Polen, de Russen, de Canadezen en de Engelsen langzaam optrokken door Europa, was er steeds meer nieuws uit het oosten gekomen. Hoopgevende verhalen over triomferende legers. De domineeszoon bracht ze mee als hij met voedsel kwam, want zijn vader had een radio in de kolenkelder verstopt. Maar ook verhalen over gruwelijkheden die niet waar konden zijn. Maira wilde ze niet geloven, luisterde niet. Ze was het bos in gerend toen de jongen begon te praten. Maar toen ze weer in het woonhol kwam, viel het haar op dat Betty bleker zag dan anders, en haar ogen in het magere gezicht stonden holler dan eerst.

'Allemaal dood,' fluisterde ze, 'allemaal vermoord.'

Na een tijdje begon Maira het te geloven: dat de Duitsers mensen bij duizenden tegelijk hadden vergast. Maar dat waren Joden, daar hadden de nazi's een bloedhekel aan. De mensen van de weg hadden Jezus van Nazareth niets gedaan. Ze geloofden in Hem, baden tot Hem, vereerden zijn Moeder met bloemen en kaarsen. Voor hen was het anders.

Zou grootmoeder Dotsji er echt zijn? En haar vader? Over hem had de dominee niets gezegd. Maar het moest haast wel. Want hoe langer haar verblijf in het hol duurde, hoe meer Maira ervan overtuigd was geraakt dat de Duitsers haar vader niet hadden kunnen pakken. Bruine paarden met zwarte manen waren er zoveel. In elke stal stond er wel eentje. Dat paard dat Ko en Jan gevonden hadden hoefde Raklo helemaal niet te zijn. En haar vader zou dat militaire terrein heus wel op tijd hebben opgemerkt. Django Rosenberg was een man van de weg, gewend om op de tekens te letten. Hij zou heus niet zomaar in de val lopen!

Er was bijna voortdurend ruzie geweest in het schuilhol. Ze zaten elkaar in de weg, de mannen werden ongedurig en knorrig. Jan kwam uit de polder in het westen, een boerenzoon die thuis niet gemist kon worden, maar toch had moeten onderduiken om niet naar een werkkamp te worden gestuurd. Hij kon moeilijk stilzitten en hij ergerde zich openlijk aan Maarten.

Maarten was advocaat en zijn vrouw Judith was violiste. Een ander slag mensen; ze probeerden met iedereen rekening te houden. Wat heel lastig was omdat ze nooit duidelijk zeiden wat ze wilden. Alleen als het om hun zoontje ging, konden Maarten en Judith razend worden.

Betty en Ko zaten elkaar ook in de haren. Ko vond dat de kleine Peter te veel lawaai maakte. Het kind bracht de veiligheid in gevaar, zei hij, en als ze niet wilden dat ze allemaal werden opgepakt, dan moest het kind weg. Er zaten zoveel kinderen bij pleeggezinnen op het platteland, waarom dan dit kind niet? Maar Betty zei dan altijd dat Petertje niet normaal was, dat hij een erg gevoelig kind was dat van slag zou raken als hij zonder zijn ouders verder moest. Van haar kon Ko het niet winnen. Dagenlang zat hij geërgerd en ook ergerlijk in de weg, in zijn slaaphol net in een doorgang, waar hij niets uitvoerde maar wel overal commentaar op had.

Maira had de meeste dagen stilletjes houtsnippers zitten snijden met het mes van Ko. Ze kookten op houtsnippers omdat er niets anders was, en omdat het vuur op die manier lang smeulde zonder veel rook te geven. Het kleine fornuisje leek wel wat op dat van moeder Bloema, en Maira kon er goed mee omgaan. Soms liet Betty haar helemaal alleen het eten klaarmaken. Op andere dagen glipte Maira wel eens weg om eetbare planten te zoeken, waar de stadsmensen helemaal geen verstand van hadden. Dan kreeg ze complimentjes en zelfs wel eens een aai over haar nieuwe haren van Judith.

Elke avond voor ze insliep, had Maira geprobeerd het gezicht van haar moeder terug te halen. Ze dacht aan Kersja en aan Krasa, haar vogeltje, en aan de broers, aan tante Lalla en tante Toetela en de ooms, aan Foeksa en Moezla en de streken die ze vroeger hadden uitgehaald. Hun gezichten bleven vage vlekken; ze zag soms een mond of een ooghoek of een wenkbrauw, maar nooit het geheel, en dat maakte Maira verdrietig. Maar ze bleef het proberen. Koppig beeldde ze zich in dat ze allemaal samen in hun eigen wagen lagen. Net zolang tot het snurken van Betty het snuiven van Raklo was geworden, en het pikdonkere hol hun eigen wagen. Pas als ze vergeten was waar ze eigenlijk was, viel ze in slaap.

Vaak had ze zich 's nachts voorgenomen om het schuilhol de volgende ochtend te verlaten. Te vertrekken. Dan wist ze zeker dat ze het geen dag meer kon uithouden tussen die knorrige grote mensen. In het hol stonk het naar ongewassen mannen en schimmel. Ze snakte naar een beetje frisse lucht, en vooral naar daglicht. Maar verder dan de bosrand was ze nooit gekomen. Ze had nooit meer durven fluiten. En haar vader was niet gekomen.

En toen was het nog erger geworden. In de herfst waren er weer vliegtuigen overgekomen, net als toen de oorlog begon. Maar deze keer waren het Engelse vliegtuigen. De dominee was het zelf komen vertellen, op de fiets.

'Hoor!' had hij gezegd. 'Je kunt het horen bulderen in het zuiden. De buurman heeft parachutisten zien landen op de hei. De Engelsen veroveren de stad!' Maira had zich inderdaad verbeeld heel in de verte gerommel te horen.

147

'Zijn het bommen?' Ze herinnerde zich opeens dat er een oom woonde in die stad, de oom die een muziekwinkel had. Misschien was haar vader daarheen gevlucht. Straks kreeg hij nog zo'n bom op zijn kop!

'Engelse bommen,' had Ko gezegd. 'Engelse bommen zijn prima.'

'Een precisiebombardement,' zei de dominee. 'Alleen op Duitse doelen natuurlijk. Nu duurt het niet lang meer.'

'Vóór Kerstmis zijn we vrij,' knikte Ko.

Maira was gaan hopen. Maar toen kwam er helemaal niets meer. Geen nieuws, geen eten. Ko besliste dat iedereen binnen moest blijven, ook 's nachts. 'Tot we weten wat er is gebeurd.'

Ze had zich niet aan zijn bevel gehouden. Op een nacht – Ko was even naar de wc – was ze toch naar buiten geslopen. En toen had ze het gehoord: tanks die over een weg daverden. Het leek vlakbij. Doodsbang was ze weer in het hol gekropen. Later hoorde ze dat het Duitsers waren geweest. De Engelse aanval op de stad in het zuiden was afgeslagen door de SS'ers uit het militaire kamp in de heuvels. De winter kwam en het was nog steeds oorlog.

Minder en minder eten kwam er naar het schuilhol, ondanks de gouden sieraden van Maira's moeder en de diamantjes die Betty inbracht. Wat ze aten, kwam van boerderijen uit de buurt. Het waren voornamelijk aardappelen van de oude oogst, met blauwe plekken en glazig. Een beetje kool af en toe. Paardenvlees was er niet meer op tafel gekomen, maar ander vlees kregen ze ook niet meer, met uitzondering van een stukje spek zo nu en dan. In de zogenaamde koffie zat geen suiker meer, en na een tijdje hield het met de koffie ook op. Havermout kregen ze nog wel en soms een beetje melk. In de havermout zaten beestjes, maar die kookten ze mee. Lekker eiwitrijk, had Betty gezegd, maar Maira mocht er tegen Petertje niets over zeggen.

Op een winteravond was ze eropuit getrokken om langs de bosrand egels te zoeken. Die hielden hun winterslaap en waren makkelijk te vangen. De anderen hadden raar gekeken toen ze ermee terugkwam; ze mocht ze niet mee het hol in nemen vanwege de vlooien. Maira had ze zelf hun stekels afgeschoren, een naar werkje dat haar vader altijd deed. Ze was er de hele dag mee bezig geweest. Tegen de avond had ze een spit gemaakt en de egels eraan gespietst om de stoppels eraf te branden.

Judith griezelde ervan. Maarten en zijn moeder kibbelden over de vraag of egelvlees wel mócht voor Joden. Waren het niet een soort varkentjes? Maar toen het vlees eenmaal gekookt op hun bord lag, hadden ze niets meer gezegd. Alleen maar gegeten.

Het lekkere hapje was gauw weer vergeten. Maarten werd kribbig van de honger. Jan werd stil. Petertje huilde veel en Ko dreigde steeds dat hij een prop in zijn mond zou stoppen met een zakdoek eromheen. Dan kletste Judith de dunne kledder op hun borden met een van wrok vertrokken gezicht. Wat verlangde Maira op zulke dagen naar het geroezemoes van een kamp, naar de vrolijk-droevige liedjes van tante Toetela, naar een laaiend vuur! En als het regende en alles klam en kil werd, en de holen nog krapper leken, als het schemerde en er niets te koken viel, dan had ze er verschrikkelijk naar verlangd om met haar moeder bij de kachel in de wagen te zitten en haar de stelen aan te geven voor haar bloemen...

De kar draaide de hoofdweg op. Even later stopte de voerman bij een groepje armoedig geklede mensen die langs de kant stonden te wachten. De nieuwe passagiers betaalden de boer op de bok, klommen achter op de kar, groetten Maira vluchtig en zochten een plekje. Met een schok begon de kar weer te rijden. Bij bussen en treinen werd gecontroleerd, had de dominee gewaarschuwd. Maar een boerenwagen met een scharminkelig paard ervoor, daar werd niet op gelet.

Het ging voortdurend heuvel af, door bossen en af en toe langs een heideveld. De stad lag helemaal beneden, aan een grote rivier. Bij de rand van de stad moest Maira afstappen. Wie zou grootmoeder Dotsji bij zich hebben? Alleen vader Django, of misschien ook moeder Bloema en tante Lalla? Was iedereen allang weer bij elkaar, wachtten ze alleen nog op haar?

De oorlog was pas net afgelopen, maar hier in het oosten waren de Duitsers al meer dan een maand geleden verslagen. Ko was eind maart al teruggekeerd naar zijn gezin. Jan en de familie van Betty moesten nog blijven, eerst omdat het westen van het land nog niet was bevrijd, en daarna vanwege het reisverbod. Een deel van het land scheen ook onder water te staan, dat hadden die rotmoffen nog net even geflikt voor ze afdropen.

Maar de onderduikers hoefden niet meer in het hol te blijven. De afgelopen maand hadden ze in het dorp gelogeerd; Maira bij de dominee. De eerste nacht had ze in het schuurtje moeten slapen, terwijl het witte poeder dat luizen en vlooien doodde zijn werk deed. Daarna had ze een kamertje op zolder gekregen. Ze had flink mee moeten helpen in het huishouden, maar dat was ze vroeger ook gewend geweest. Fijn was dat ze zich elke dag mocht wassen en dat ze nieuwe kleren had gekregen. En ze sliep in een echt bed. Zacht dat het was!

Elke ochtend was Maira wakker geworden met het idee: vandaag hoor ik iets. En elke avond moest ze weer naar bed zonder te weten waar haar familie was. De dominee deed zijn best, maar pas drie dagen geleden was hij erachter gekomen waar grootmoeder Dotsji was.

Hoe lang zou het haar moeder kosten om van Polen naar Nederland te komen? Zonder wagen, zonder paard, en zonder echte man erbij? Het Russische leger had Polen al een tijd geleden bevrijd, zei Maarten. Maira's familie had maanden de tijd gehad om terug te komen. Misschien waren ze verdwaald.

Vorige week hadden de Duitsers een papier getekend waarop stond dat ze verloren hadden. Hun leider had zichzelf doodgeschoten. Die mocht dus de hemel niet in; hij zou wel gaan rondspoken... Maira huiverde.

'Heb je het koud?'

Maira schrok op. Tegenover haar zat iemand aan wie ze nog geen aandacht had geschonken, een broodmagere vrouw met diepliggende ogen en uitstekende jukbeenderen. Een gadzji; ze zag er heel eng uit. Maar beleefd moest je natuurlijk wel blijven.

'Nee.'

'Hoe heet je?'

Maira kneep haar lippen op elkaar. Ze had geen naam. Ze stond op geen enkele lijst. Ze bestond niet. Niemand zou haar te pakken krijgen.

'Ik ga naar mijn zoon,' zei de vrouw. 'Hij heeft het overleefd, goddank.' Ze had een zakdoekje in haar hand waar ze mee zat te frummelen. Haar wangen waren vlekkerig rood.

'Mooi haar heb je,' zei ze, 'zo dik. Net mijn kleindochtertje. Ze is joods. Ze hebben haar net voor het einde meegenomen. Naar de kampen. Maar zij heeft geen krullen.'

Dit was haar kans, dacht Maira.

'Komt ze gauw terug?' vroeg ze.

'O, ja,' zei de vrouw. 'Heel gauw. Ja, ze komt heel gauw terug, en mijn schoondochter ook. Ik heb een brief gekregen. Ze maken het goed.' Ze legde de zakdoek op haar schoot en wroette in een te klein damestasje. Ze haalde er een briefkaart uit en liet hem aan Maira zien. 'Kijk, die kreeg ik.'

'Ik kan niet lezen,' zei Maira.

De vrouw keek haar bevreemd aan, maar las toen voor: 'Lieve allemaal, wij maken het naar omstandigheden goed. Tot nu toe hebben we bij elkaar mogen blijven. Het eten is redelijk. We kijken uit naar de dag dat we jullie weer in de armen kunnen sluiten. Tot gauw, Hetty.' De laatste woorden waren in het Duits. De kaart zag er verfomfaaid uit, alsof hij al heel lang in dat tasje zat. Maar de vrouw keek Maira stralend aan. 'Zie je wel? Ze komen gauw terug.'

Maira knikte maar.

'Zo gek,' zei de vrouw, 'Hetty komt uit Duitsland, ze was een vluchtelinge. Ze werd opgevangen in hetzelfde kamp van waaruit ze haar later weer hebben weggebracht.' Haar blik werd donker.

'In veewagens, zeggen ze.'

Maira knikte. Veewagens waren het geweest. Nog minstens een keer per week schrok ze wakker uit een nachtmerrie over schuivende deuren en knallende grendels.

'Ik ben ook in dat kamp geweest,' zei ze. 'Maar nu ga ik naar mijn grootmoeder.'

'In Polen?' De ogen van de vrouw glommen van hoop.

Maira schudde haar hoofd. 'Ik zat niet in de trein. Ik ben ontsnapt. Ik heb een gat in het prikkeldraad gemaakt.' Nu ze het zichzelf hoorde zeggen, was ze er opeens trots op. Ze had ontzettend veel zin om er tegen Elmo over op te scheppen. Hij met zijn Maira is maar een meisje!

'Dat kan niet!' Nu leek de vrouw ineens boos. 'Iedereen moest mee, íédereen! Jij kunt niet ontsnapt zijn!'

Maira haalde haar schouders op. Dan niet. Maar de vrouw wierp zich plotseling naar voren en sloeg Maira in het gezicht. Daarna begon ze aan haar haren te trekken.

'Je liegt! Je liegt!'

'Hela!' Een man en een jongere vrouw trokken de heks van Maira af. Gelukkig. Wat had dat mens?!

'Het is de onzekerheid,' zei de jonge vrouw. Ze kwam naast Maira zitten en sloeg een arm om haar heen. 'Gaat het weer?' Maira schudde zich los.

'Ja hoor.' Maar haar hart klopte hoog in haar keel. Wat had ze verkeerd gedaan?

'Het is de spanning,' zei de vrouw. Ze schoof een eindje van Maira vandaan. 'De berichten van het Rode Kruis siepelen maar mondjesmaat door. En de honger natuurlijk. In de steden is ontzettend veel honger geleden. Je moet het haar maar niet kwalijk nemen.'

'Dat mens is gek,' zei een man. Hij had een oranje strikje op zijn colbert. 'Je valt toch geen kind aan!'

De jonge vrouw legde haar hand op zijn mouw. Tegen de oude vrouw zei ze: 'Uw familie komt vast gauw thuis.'

Maira hoorde de twijfel in haar stem. Ja. Die briefkaart was wel érg oud en frommelig geweest. Misschien kwam de familie van die vrouw wel helemaal niet meer terug. Misschien waren ze in Polen – hoe heette het ook weer? – vergast.

Maar dat waren Joden. Die geloofden niet in God de Zoon.

Grootmoeder Dotsji stond niet op de plek waar de kar stopte. Maira bleef verloren staan. De andere mensen verdwenen snel in de drukte. De weg liep verder naar beneden, langs een park. De kar draaide een zijstraat in. Wat moest ze nu? Alleen zijn in een stad was nog angstaanjagender dan alleen zijn in de velden. Zoveel vreemden had ze alleen nog op kermissen bij elkaar gezien. Maar daar was ze altijd met haar nichtjes geweest.

Gelukkig zag ze er normaal uit, met haren en schoenen en zelfs een vestje over haar jurk zoals de gaadzje droegen. En het land was bevrijd. Ze mocht hier gewoon lopen, ze hoefde niet bang te zijn dat ze haar weer zouden pakken.

Maar ze was wél bang. Zo bang dat ze geen stap kon verzetten. Haar grootmoeder was er niet. Deze stad was veel groter dan de stad waar ze had gewoond. Ze had een papiertje in haar tas met een adres erop, maar ze durfde het aan niemand te laten lezen. Ze bleef hier gewoon staan. Vroeg of laat zou haar grootmoeder wel komen.

'Kan ik je helpen?' De politieagent zag er vriendelijk uit. De postbode en de veldwachter waren goede mensen geweest. Maar Maira kon toch niemand meer vertrouwen die een uniform droeg. Ze schudde haar hoofd en begon te lopen, naar beneden, de stad in. Aan haar rechterhand was een park. De geur van groen stelde haar een beetje gerust.

Toen werd ze opeens beetgepakt. En omgedraaid. En tegen iemand aangedrukt. Maar ze rook wie het was.

'Waar ga jij heen?'

'Mami!'

'Engeltje!'

Maira's hele lijf begon opeens te schokken. Eindelijk niet meer alleen! Haar grootmoeder duwde haar van zich af om haar te bekijken, en toen was het gauw over. Maira kon er niet tegen dat anderen haar zagen huilen.

'Ik stond aan de andere kant van het park,' zei grootmoeder Dotsji. 'Maar toen je niet kwam, werd ik ongerust.'

'Waar is Tatta?' vroeg Maira. 'En Mama en de anderen?'

Haar grootmoeder liep opeens met grote passen weg, heuvelaf. Het klepperde; ze droeg rare houten schoenen, als de klompen van een boer. Maira draafde er achteraan.

'Er zijn geen trams meer,' zei haar grootmoeder. 'We moeten lopen.'

Overal waren de puinhopen van gebombardeerde huizen; er waren mannen bezig de ravage op te ruimen, maar erg ver waren ze daarmee nog niet. Maira zag broodmagere mensen met blije gezichten en oranje en rood-wit-blauwe linten. Ze wende aan het gewemel en zelfs aan de puinhopen. Onderweg overtuigde ze zichzelf ervan dat haar vader in de woning van haar grootmoeder op haar wachtte; misschien was hij net met een karweitje bezig dat af moest. Het lijmen van een nieuwe viool was een precies werkje en de lijm droogde snel.

Na een kwartier kwamen ze in een buurt met smalle straten en hoge huizen die niet al te erg kapot waren. In de afgelopen winter waren Maira's spieren slap geworden – ze was buiten adem toen haar grootmoeder een sleutel in het slot van een hoog, smal huis stak. Ze moesten twee smalle donkere trappen op, en toen ging er weer een slot open.

'Welkom,' zei grootmoeder Dotsji. 'Welkom thuis.'

Het rook er naar zuurkool en gestoofde kip. Maar Maira voelde meteen dat er behalve zij tweeën niemand in de woning was. Ze draaide zich om.

'En mijn vader?' vroeg ze.

'Ja,' zei haar grootmoeder. 'Ik had ook liever gehad dat híj het was die terugkwam. Maar niets aan te doen. Ik zal het met jou moeten doen en jij met mij.'

Ze staarden elkaar aan. Maira wist opeens weer waarom ze haar grootmoeder nooit lief had gevonden.

Nooit meer

mei 1946

Het snurken in het andere bed klonk nu regelmatig. Eerst kwam er altijd een reeks varkensachtige geluiden, een paar snel achter elkaar en dan weer een tijdje niets, en dan begon het weer. Daarna gooide Mami zich op haar zij en klonk haar ademhaling anders. Nog steeds snurkend, maar niet meer zo onvoorspelbaar. Pas als ze dat hoorde, durfde Maira haar bed uit.

Ze sliepen samen, hoewel er nog een slaapkamer was, waar nu alleen handelswaar in was opgeslagen. Mami wilde nooit meer alleen slapen, zei ze. En Maira schrok nog steeds vaak wakker uit nare dromen. In een van die nachtmerries stond Mami stilletjes op, kleedde zich aan en verliet het huis zonder afscheid te nemen. In die droom wist Maira dat ze haar grootmoeder nooit meer terug zou zien. Een andere ging over een trein van veewagens die langsreed met open deuren. Maira staarde in elke wagon naar binnen, maar ze waren allemaal leeg. En toch begon die droom met het schuiven van zware deuren en het knallen van grendels. En met het fluitje van haar vader: *Waar ben je, waar ben je?*

Het zeil van de kamer was koud aan haar voeten, de kokosloper in de gang prikte. De grendel piepte en het slot knerste. De deur kraakte. Ze wist dat allemaal al sinds de eerste avond in dit huis en maakte zo min mogelijk geluid. Op de overloop stonk het zwakjes naar urine en kool. De traploper was korrelig van het vuil. Op de volgende overloop viel wat licht binnen van de straatlantaarns. Maira dacht soms ook dat ze dáárvan zo raar droomde, van al dat licht 's nachts.

Ze hoefde de treden allang niet meer te tellen. Ze was ook niet bang meer dat ze iemand tegenkwam op de trap. De buren gingen vroeg naar bed want ze moesten vroeg op. Alleen de man die met zijn gezin op zolder woonde, kwam nog wel eens laat thuis, maar dan was hij dronken en zag hij haar nauwelijks.

Maira trok het slot open en zette de deur op een kier, met een hoekje van de mat ertussen. Daarna sloop ze snel weer naar boven. De deur van de woning moest openblijven. Stel je voor dat ze 's nachts zouden aankomen. Ze zouden niet weten op welke bel ze moesten drukken, want Mami wilde haar naam niet naast de deur hebben, waar iedereen hem zomaar kon lezen.

Lezen. Toen Maira weer veilig in bed lag, spelde ze zachtjes haar naam: MARIA – je kon de R en de I ook omwisselen. En MAMI – bijna dezelfde letters.

'Ik ga je lezen en schrijven leren,' had Mami een van de eerste dagen gezegd. 'Dit mogen ze nooit meer met ons doen.'

'Hoe bedoelt u, Mami?' had Maira gevraagd.

'Het was onze onwetendheid, engeltje. Niets wisten we. Daardoor hebben ze ons te pakken kunnen nemen. Dat mag nooit meer gebeuren. Jij wordt al groot – een dezer dagen verras je me door met een jongen weg te lopen. Maar nu kan het nog. Jij gaat naar school.'

Maar Maira was nog geen dag naar school geweest. Het ging langzaam, dat lezen en schrijven leren. Er waren ook zoveel andere dingen te doen: het huishouden, helpen met venten en zorgen voor de vluchtelingen die soms bij hen logeerden. Een paar dagen, een paar weken. Mensen van de weg, verre familie of mensen die ze helemaal niet kenden. Mami had hen aan onderduikadressen geholpen in de oorlog. Nu kwamen ze berooid uit alle hoeken en gaten van de wereld weer tevoorschijn. Wagens hadden ze niet meer, die hadden de Duitsers ingepikt. En van de nieuwe Nederlandse regering hadden ze niets te verwachten.

'Die gaadzje willen alles voor zichzelf houden,' zei Mami eens.

Maira had haar verrast aangekeken.

'Dat zei –'

'Ja, houd je mond maar.'

Maira had niets meer durven zeggen. Over doden mocht je niet praten. Dáárom had Mami haar de mond gesnoerd. Omdat ze dacht dat moeder Bloema niet meer in leven kon zijn. Anderen beschouwden Mami als een poeri daai, een wijze vrouw. Maira twijfelde er soms aan – alleen natuurlijk niet hardop.

Ze schrok toen haar grootmoeder opeens begon te praten.

'Morgen blijf jij thuis om eten te koken. Maak genoeg; misschien krijgen we gasten.'

Maira tuurde door de kamer. Mami lag op haar rug in bed, haar ogen leken open. Wanneer was ze wakker geworden? Had ze gemerkt dat Maira helemaal naar beneden was gegaan?

'Goed, Mami.'

'Slaap lekker, engeltje.'

Maira haalde opgelucht adem. Dus Mami had niets gemerkt.

Wie zouden die gasten zijn? Opeens begon Maira's hart harder te kloppen. Kon het...?

Ze zou de laatste rijksdaalders aanspreken, die ze zuinig had bewaard, en krabbetjes kopen. De lekkerste stoofpot die ze ooit gegeten hadden zou ze maken, in Mami's grote beroete pan, genoeg voor allemaal. En ze zou bedden voor ze opmaken, met de kussens van de bank en misschien kon ze matrassen van de buren lenen, en haar moeder mocht met de meisjes in haar eigen bed, zij zou wel op de grond slapen...

Ze ging rechtop zitten en grabbelde rond op de vensterbank. Daar lagen ze, de tang om te knippen, de tang om te buigen, de zilveren schaar. Haar moeders gereedschap, glimmend gepoetst. Klaar om gebruikt te worden.

'Haal je niks in je hoofd,' zei Mami. 'Je kent haar nauwelijks.'

De volgende dag ging Mami weg en kwam terug met Patsja. En Patsja smulde van de stoofpot en zei dat ze sinds de bevrijding nog niet zo lekker had gegeten.

Na die dag werd het moeilijker voor Maira om de buitendeur op een kier te gaan zetten. Mami en Patsja bleven lang op; het gemurmel van hun stemmen drong door tot de slaapkamer. Ze hadden elkaar veel te vertellen waar Maira niets van mocht weten. Patsja noemde Mami ook Mami, hoewel ze niet haar grootmoeder maar haar oudtante was. Maira voelde zich een beetje aan de kant gedrongen. Mooi was Patsja niet meer, zelfs haar haren waren dun en flossig geworden en ze was een paar tanden kwijt, maar dat scheen haar grootmoeder juist aan te trekken.

Maira ging extra haar best doen op het lezen, vroeg te pas en te onpas of Mami verder wilde gaan met de lessen, maakte uit zichzelf lange rijen letters, netjes tussen de lijntjes van het speciale schoonschrijfschrift dat ze had gekregen. Het was een beetje kinderachtig om op die manier aandacht te vragen. Maar ze kon het toch niet laten.

Nu Patsja er was zat de kleine woonkamer vaker vol mensen. De meesten hadden ondergedoken gezeten. Allemaal hadden ze hun wagens verloren. De oom uit de stad was zijn muziekwinkel, zijn instrumenten en al zijn paarden kwijt. Ze bespraken met Mami hoe ze hun bezittingen terug konden krijgen. Ze moesten toch geld verdienen?

Bijna niemand was uit een kamp in het oosten teruggekomen, zoals Patsja. Maira luisterde goed als de bezoekers vroegen hoe het er was geweest. En ze merkte wel dat Patsja niet écht antwoord gaf.

'Er was weinig te eten,' zei ze. 'We moesten hard werken.' En soms ook: 'Er waren veel zieken.' Maar hoe het kwam dat er maar zo weinig mensen waren teruggekeerd, daar praatte ze niet over.

Maira vond het niet echt gezellig als er zoveel mensen waren. Dan miste ze haar eigen familie juist extra. Sinds Patsja terug was, vertelde niemand meer mooie verhalen, zelfs Mami niet. Bovendien struikelde je over elkaars benen in de bedompte woning. Het was toch niet hetzelfde als buiten om een vuur. In een stad voelde je je eigenlijk altijd opgesloten.

'Het is benauwd in de stad,' zei ze een keer. Ze bedoelde: waarom blijven we toch hier? Waarom gaan we niet terug naar de bossen, waar we horen?

'Wen er maar aan,' zei Mami. 'Ik ben hier nodig; ik kan lezen. Die gaadzje willen alles op papier hebben. Ze zijn koppig, maar ik ben koppiger. Uitwaaien doe je maar in het park.'

Als haar grootmoeder 's ochtends vertrok, kwam Maira wel eens in de verleiding om Patsja te vragen hoe het met haar kindje was afgelopen, en met haar man. Maar ze deinsde er toch telkens voor terug. Patsja sprak er niet over, Mami sprak er niet over; dat zei eigenlijk genoeg.

Op een avond, toen er veel bezoek was geweest en Patsja en haar grootmoeder samen de vaat deden, hoorde Maira hen praten terwijl ze op weg was naar de wc.

'Een kind verliezen is het ergste,' zei Mami. 'Denk niet dat ik dat niet weet. Heeft het lang geduurd?'

'Ze probeerden hem blauwe ogen te geven. Dokters. Ze spoten blauwe inkt in zijn oogjes. Mij hielden ze in leven om hem te voeden.'

Bestek kletterde in een bak, een droogdoek piepte in een glas. Maira hield haar adem in – ze durfde nu niet meer naar de wc te gaan.

En? De vraag hing in de lucht, maar werd niet gesteld.

'Het is ze niet gelukt.'

Dat klonk als goed nieuws. Het klonk als een verhaal met een gelukkig einde. Maar er was geen kindje met bruine oogjes mee teruggekomen.

Dit was een avond dat het Maira niet moeilijk viel om wakker te blijven tot de anderen gingen slapen. Ze probeerde zich een plek voor te stellen waar dokters met naalden in babyoogjes prikten.

Toen Mami sliep en ook Patsja rustig ademhaalde, sloop Maira de trap af. Het kon, het kon tóch. Je hoorde nog elke dag verhalen van mensen die plotseling opdoken. Soms hadden ze door heel Europa gezworven. Het kón.

Toen ze terugkwam, was Patsja wakker.

'Wat doe je?'

Maira wist niet goed hoe ze met Patsja om moest gaan. Ze was maar een paar jaar ouder dan Maira zelf. Maar ze was getrouwd – getrouwd gewéést, dus toch een soort groot mens.

'Niks.'

'Je zet de deur open.'

'Nee hoor.'

'Jawel, je zet de deur beneden open.' Patsja kwam uit bed, omhelsde Maira kort en trok haar mee naar de keuken. Wist ze niet dat Maira een hekel aan haar had?

'Hou ermee op, Maira.' Patsja goot melk in een steelpan en deed er salie bij.

'Waarmee? Ik doe niks. En je bent mijn moeder niet.'

'Hou op met hopen.'

'Waar bemoei jij je mee?'

'Ze komen niet terug, dat weet je, hè,' zei Patsja.

Maira zei niets.

De melk siste tegen de wand van het pannetje. Patsja goot het leeg in twee kopjes en deed er suiker bij.

'Hier. Dan kunnen we slapen.'

Ze gingen aan de keukentafel zitten, Maira met tegenzin.

'Kijk.' Patsja haalde een zijden zakje onder haar nachthemd vandaan. Het zag er beduimeld uit, maar het hing aan een nieuw lintje om haar nek. Ze haalde er een foto uit. Maira pakte hem niet aan, zodat Patsja hem op tafel neer moest leggen.

Maar Maira keek wel. Want op de foto stond haar broer Falko. Hij keek een beetje verbaasd in de camera. In zijn rechterhand had hij een geweer en zijn linkerarm had hij om Patsja heen geslagen, die er bekneld uitzag, maar wel gelukkig keek. Zo, met die ene hand, had Falko raak geschoten – het was een foto uit de schiettent op een kermis.

'Geloof me maar,' zei Patsja, 'hopen helpt niet.'

Maira kon niet ophouden met kijken. Ze was vergeten dat hij zó lief was.

'Je hield van hem,' zei ze. Haar stem bibberde.

'Je grootmoeder maakte er een eind aan,' zei Patsja. 'Ze betrapte ons op de kermis. Ze heeft het tegen mijn ouders gezegd; wij zijn meteen de volgende dag apart verder getrokken. Maar niemand wist van de foto.'

'Je hebt hem bewaard?'

'Dat deed de hoop,' zei Patsja. 'Maar daar word je alleen maar treurig van.' Ze voelde aan het zakje – er zat nog iets in. 'Misschien was het mijn zonde dat ik die foto heb gehouden.'

Maira schudde haar hoofd. 'Het kan niet allemaal jouw schuld zijn.' Ze bleef naar de foto kijken.

'Later – mijn man was al door de schoorsteen gegaan – toen hoopte ik dat we elkaar na de oorlog weer... Want niemand had hem in het kamp gezien.'

'Een gitaar houdt slecht kogels tegen,' zei Maira.

Ze dronken slurpend hun melk. De damp maakte dat ze de foto wazig zag. Falko. Ze was zijn gezicht helemaal vergeten.

Patsja duwde de foto dichter naar Maira toe.

'Nu is hij voor jou,' zei ze. 'Je mag mij eraf knippen als je wilt.'

'Zo'n hekel heb ik nou ook weer niet aan je,' zei Maira, en toen moesten ze opeens lachen. Niet te hard, dacht Maira. Niet te lang. Anders denkt Patsja nog dat ik huil.

Op weg naar de slaapkamer sloeg Patsja een arm om Maira heen. Maar toen gaf het niet meer, want in het donker zag toch niemand het.

Ze legde de foto naast de tangen en de schaar in de vensterbank.

Maira haatte Patsja. Ze haatte zichzelf. Waarom was ze uit bed gekomen om Mami en haar nichtje af te luisteren?

Ze wilde antwoorden hebben. Maar dit wilde ze niet horen!

Patsja was aan het praten: 'Vlooien, luizen, slootwater te eten... De hel was het, veel erger dan het Hollandse kamp, maar we dachten dat we het wel uit zouden zingen. Tot we begrepen waar die schoorstenen voor waren. Onze mensen waren gauw aan de beurt, na een week of vijf al. Elmo en Nonnie hebben zich nog verzet, en Mertzo ook, geloof ik. Gevochten. Een opstand – ze wilden zich niet zomaar laten vermoorden...'

'Het is beter als het kind dit niet te horen krijgt,' zei Mami.

'Een nacht en een dag. Toen was er niemand meer over. Maar dat heb ik later pas gehoord. Want mij en mijn... ons hadden ze naar het hoofdkamp overgebracht.'

'Er is niemand meer over,' herhaalde Mami.

'Nee. Niet uit dat kamp.'

'Er is niemand meer over. Ik wist het wel. Ik kon me hun

gezichten niet meer te binnen brengen.'

Maira keerde terug naar bed. Ze pakte de tangen van de vensterbank, één in elke hand. Het koude metaal werd snel warm. Maira hield haar ogen wijd opengesperd. Ze hoorde het schuiven weer, en de grendels, zelfs zonder dat ze sliep.

Die avond vergat ze de deur op een kier te zetten. Maar de volgende avond ging ze weer. Haar vader was er immers nog. Haar vader was er nog wél. Hij kon niet ver weg zijn.

'In september ga je naar school,' zei Mami. Ze klapte het leesboek op tafel en ving Maira, die met een stapel theedoeken voorbijliep, in haar lange arm. 'Kom hier, jij. Die theedoeken kan Patsja ook best doen.'

'Maar ik kan al lezen!'

'O ja? Wat staat hier dan?'

Haar grootmoeder schoof een roze kaartje naar haar toe. Er zat een rij kleine ronde gaatjes in. Maira had zin om het daarlangs door te scheuren.

'Niet doen! Dan geldt het niet meer. Hier, lees dan. Wat staat er?'

Maira kon het niet lezen. Het begon met een Z, maar daarna volgden er veel te veel medeklinkers.

'Wat is het?'

'Een treinkaartje. We gaan naar een feest. Tommeli en Stosjelo hebben nieuwe wagens, ze staan in een nieuw kamp. Vlakbij waar we vroeger vaak...'

'Nee,' zei Maira.

'Engeltje...'

'Ik wil niet naar een feest.'

Een feest was een plek waar haar vader en zijn broer muziek maakten, waar tante Toetela zong en haar moeder kookte en kibbelde met tante Lalla. Een plek waar Krasa en Kersja om de wagens holden met hun neefje Loelo, en waar Falko naar

164

Maira glimlachte boven zijn gitaar. Een plek waar wagens in een halve kring stonden, waar een vreugdevuur brandde, een plek om te dansen met Foeksa en Moezla te plagen. Dát was een feest. Die Tommeli en Stosjelo kende ze amper en hun nieuwe wagens konden haar niets schelen.

'Maar lezen moet je,' zei Mami, en er klonk nu iets dreigends in haar stem. Maira ruimde gauw de theedoeken op en ging aan tafel zitten. Een uur lang deed ze braaf haar best.

'Mooi zo,' zei Mami. 'In september kun jij naar school.'

En even trilde er toen iets in Maira's borst. School!

Op een avond kwam Mami terug met zulke strakke lippen, dat Patsja en Maira elkaar aankeken en een gezicht trokken. Maar toen haar grootmoeder in de slaapkamer verdween, laatjes uit de kast trok en zo te horen van alles in het rondsmeet, begon Maira ongerust te worden. Even later klonk er een gebrul uit de kamer waar ze kippenvel van kreeg. Met Patsja ging ze naar de deur. Die zat op slot.

'Mami...'

Het werd stil aan de andere kant. Té stil.

'Mami!'

De stilte duurde voort. Dit was raar.

Patsja klopte op de deur, luid en dringend.

'Ik kom zo.' De stem klonk opeens griezelig gewoon.

Ze wisten niets anders te doen dan naar de keuken te gaan en het eten op te zetten.

Na een tijdje kwam Mami bij hen zitten. Ze hielp niet mee, zoals anders. Ze vertelde ook niet over haar dag. Ze at later haar eten op zonder iemand aan te kijken.

Er was iets ergs gebeurd.

Maira was beneden de deur open gaan zetten. Toen ze terugkwam, stond haar grootmoeder in de deuropening.

'Kom.'

Maira kreeg een kop koffie. Echte koffie, met veel suiker.

'We praten hier één keer over,' zei Mami. 'En daarna nooit meer. Begrijp je dat?'

'Ja, Mami.'

'Ik hou van jou,' zei Mami. 'Meer dan van wie ook. Het spijt me dat ik zo geloeid heb.'

Maira schudde haar hoofd.

'Ik ben heel blij dat ik jou nog heb.'

'Ik ben ook heel blij dat ik u heb, Mami.' Wat moest dit?

'Trekken kan niet meer. Maar over een tijdje wonen we weer in een kamp,' zei Mami. 'Ik ben ermee bezig. Hou je het nog een jaartje uit?'

Maira sloeg haar ogen neer. Als haar vader kwam...

'Ik weet dat je aan je vader denkt. Dat je over hem droomt. Je praat soms in je slaap. Maar... zie je dan zijn gezicht?'

'Natuurlijk...' zei Maira. Wat een gekke vraag. Het was toch zo, ze zag haar vaders gezicht toch in haar dromen, in haar verbeelding?

'Ik niet,' zei Mami. 'Ik al heel lang niet meer. Maar om het dan zwart op wit te zien staan...'

Maira haalde heel stil adem.

'Elke week ben ik gaan kijken,' zei Mami. Haar toon was heel gewoon. 'Ze hebben lijsten, snap je. Lijsten met namen...'

... waar geen mensen meer bij horen.

'Vandaag heb ik hem gevonden. Auschwitz, 30 mei 1944. Op die dag hebben ze hem...' Mami balde een vuist en beet erop.

Maira sprong overeind. Haar stoel maakte een naar geluid op de stenen keukenvloer.

Mami zei: 'Hij moet in dezelfde trein gezeten hebben als je moeder. Misschien is hij er op een ander station pas bij gekomen.'

166

Die trein? Dezelfde trein? Maira deed haar ogen dicht. Allemaal hadden ze in die ene trein gezeten. Behalve Mami en zij.

'Tien dagen heeft hij nog geleefd. Drie dagen in die veewagen. Een week in het kamp. En toen –' Mami schudde haar hoofd. 'Vermoord.'

Tien dagen later? Toen zat ik in bad, dacht Maira. Met lelietjes-van-dalen-zeep.

Ze probeerde het gezicht van haar vader voor zich te zien. Zijn hoed legde er een diepe schaduw overheen. Zelfs zijn mond ging schuil.

Maira draaide zich om en liep de woning uit. De loper op de trap was nog steeds korrelig van het vuil. Goed dan. Ze zou de trappen vegen. Ze zou het uithouden. Ze zou naar school gaan. Ze zou meegaan naar het feest. Dansen misschien. Ze zou een jongen ontmoeten en Mami verrassen door met hem weg te lopen. Ze zou kinderen krijgen. Ze zou Mami helpen te zorgen dat het nooit meer kon gebeuren.

Maar ze wist dat ze zich de rest van haar leven elke avond af zou vragen waarom ze niet gewoon met haar familie in die trein was gestapt.

Ze keek even naar buiten, de lege straat in. Zelfs hier in de stad kon je de lente ruiken, en een vleug rivier. Dat water stroomde maar...

Toen deed ze de deur dicht.

Een paar feiten over Sinti en Roma, Duitsers en Nederlanders

De hoofdpersonen in dit boek zijn Sinti, een reizend volk met zijn eigen taal en cultuur.

Sinti en Roma, die zich niet graag zigeuners horen noemen, stammen af van een volk dat waarschijnlijk uit de buurt van de rivier de Indus (Sindhu) in India kwam. Sinti trekken al eeuwenlang door West-Europa en dus ook door Nederland. Verschillende groepen Roma zijn korter geleden uit Oost-Europese landen naar onze streken gekomen.

Sinti en Roma spreken verschillende varianten van één taal, het Romanes. Sinti schrijven hun taal niet, uit vrees dat er door anderen misbruik van wordt gemaakt. Daarom heb ik in dit boek alleen de woorden opgeschreven die al veel mensen kennen.

Sinti waren van oudsher voornamelijk artiesten. Ze traden op op kermissen of leefden van de muziek. Er zijn nog steeds wereldberoemde zigeunerorkesten. Ook hielpen ze boeren vaak een tijdje op het land als seizoenarbeiders. De vrouwen verkochten vaak allerlei waren huis-aan-huis.

Roma waren eerder ambachtslieden dan artiesten. Onder hen vond je vroeger veel scharensliepen, stoelenmatters en ketellappers. Ook verdienden vroeger veel Roma hun brood als paardenhandelaar.

Sinti-kinderen krijgen de achternaam van hun moeder.

Op 16 mei 1944 werden op last van de Duitse bezetters in het hele land 's ochtends vroeg Sinti en Roma uit hun wagens en huizen gehaald. De razzia werd uitgevoerd door Nederlandse

politiemensen. Ze deden dat zonder protest. Slechts van enkele politiemensen staat vast dat ze mensen hebben helpen
ontkomen; soms maar één kind van een heel gezin. Inboedel,
wagens en paarden werden ingepikt door de nazi's.

Zonder de medewerking van de Nederlandse overheid was
het niet mogelijk geweest zoveel Sinti en Roma op te pakken.
Al een jaar of tien eerder was Nederland begonnen met het
registreren van Sinti en Roma. Bestuurders en ambtenaren
aapten dat na van Duitsland, waar Hitler toen al aan de macht
was.

Kamp Westerbork werd door de nazi's vooral gebruikt om
Joden, 'zigeuners' en politieke gevangenen te verzamelen.
Vandaar werden ze naar de concentratiekampen gevoerd.
Ook het Joodse meisje Anne Frank heeft in Westerbork geze-
ten, net als Maira in het strafgedeelte.

Joden vervulden veel functies in het kamp. Zo had je de
OD, de ordedienst waarbij David hoort. Op die manier konden gevangenen aan de transporten ontkomen.

De woonwagens die bij elkaar stonden in een hoek van
Kamp Westerbork (waar Maira haar tante Lalla ziet) kwamen
van het woonwagenkamp in de buurt. De bewoners werden
rechtstreeks van hun eigen wagen naar de trein gebracht.

Het 'zigeunertransport' van 19 mei 1944 betekende het einde
voor bijna alle 245 Sinti en Roma die in veewagens werden
geladen. (Ook een grote groep Joden moest mee.) De trein
reed regelrecht naar Auschwitz in Polen. De volgende dag
kwamen de meeste Sinti en Roma in het vernietigingskamp
Birkenau, waar ze in de laatste nacht van juli werden vergast.
In totaal zijn er in de Tweede Wereldoorlog ongeveer een mil-
joen Sinti en Roma vermoord. Niet meer dan 32 Nederlandse
Sinti en Roma overleefden de kampen.

In het huis in Zutphen waar de familie van Maira tijdelijk intrekt, heeft echt een Sinti-familie gewoond. Van het hele gezin heeft maar één kind de oorlog overleefd.

Er waren ook Sinti en Roma die kans zagen onder te duiken, bij boeren of in schuilholen in bosrijke streken zoals de Veluwe. Toch hadden na de oorlog de meeste families veel dierbaren verloren.

Na de oorlog hebben de Sinti en Roma hun wagens, paarden en spullen niet teruggekregen, en ook geen schadeloosstelling. Het is hun door de Nederlandse autoriteiten onmogelijk gemaakt om hun oude leven weer op te pakken. De meeste Sinti en Roma proberen nog steeds zoveel mogelijk in familieverband te leven, zo mogelijk op een kampje, in wagens (die er overigens aan de buitenkant vaak uitzien als huizen). Gemeenten proberen geregeld die kampen op te doeken en de Sinti en Roma te dwingen in huizen te gaan wonen. Doordat ze niet meer kunnen trekken zoals vroeger, zijn hun oude beroepen verloren gegaan. Daarom zitten te veel mensen zonder werk.

Een voordeel is dat de kinderen naar school kunnen. Veel oudere Sinti en Roma kunnen niet of moeizaam lezen en schrijven.

Veldwachter Wiechers heeft echt bestaan. Van hem is bekend dat hij in de omgeving van Brummen onderduikers heeft geholpen.

Ook Settela Steinbach heeft echt geleefd. Een foto van haar tussen de deuren van de veewagen wordt gebruikt als symbool voor de holocaust.

'Settela!' riep haar moeder in de wagon. 'Ga bij die deur weg, straks komt je kop er nog tussen!'

Toen ze werd vermoord, was Settela negen jaar.